Copyright © 2023 Ler Editorial

Texto de acordo com as normas do novo acordo ortográfico da língua portuguesa (Decreto Legislativo Nº54 de 1995).

Todos os direitos reservados. Proibida a reprodução total ou parcial, de qualquer forma ou por qualquer meio, mecânico ou eletrônico, incluindo fotocópia e gravação, sem a expressa permissão da editora.

Editora – Catia Mourão
Capa – Joice Dias
Diagramação – Catia Mourão
Revisão – Halice FRS

Dados Internacionais de Catalogação na Publicação (CIP)
(Câmara Brasileira do Livro, SP, Brasil)

Albuquerque, Ly

    Acordei grávida do viúvo / Ly Albuquerque. --
1.   ed. -- Rio de Janeiro : Ler Editorial, 2023.

    ISBN 978-65-86154-88-7

    1.   Romance brasileiro. I. Título.

23-151586   CDD: 869.93

Índices para catálogo sistemático:

1. Romances : Literatura brasileira B869.3
Henrique Ribeiro Soares - Bibliotecário - CRB-8/9314

Foi feito o depósito legal.
Direitos de edição:

ACORDEI GRÁVIDA DO VIÚVO

LY ALBUQUERQUE

1ª edição
Rio de Janeiro – Brasil

SUMÁRIO

005	EPÍGRAFE	137	CAPÍTULO 31
006	COTE	140	CAPÍTULO 32
007	NOTA DA AUTORA	143	CAPÍTULO 33
008	PRÓLOGO	147	CAPÍTULO 34
012	CAPÍTULO 1	150	CAPÍTULO 35
017	CAPÍTULO 2	154	CAPÍTULO 36
021	CAPÍTULO 3	157	CAPÍTULO 37
029	CAPÍTULO 4	162	CAPÍTULO 38
032	CAPÍTULO 5	166	CAPÍTULO 39
036	CAPÍTULO 6	171	CAPÍTULO 40
041	CAPÍTULO 7	175	CAPÍTULO 41
050	CAPÍTULO 8	180	CAPÍTULO 42
055	CAPÍTULO 9	184	CAPÍTULO 43
059	CAPÍTULO 10	187	CAPÍTULO 44
062	CAPÍTULO 11	198	CAPÍTULO 45
069	CAPÍTULO 12	203	CAPÍTULO 46
074	CAPÍTULO 13	206	CAPÍTULO 47
077	CAPÍTULO 14	210	CAPÍTULO 48
081	CAPÍTULO 15	215	CAPÍTULO 49
084	CAPÍTULO 16	219	AGRADECIMENTOS
089	CAPÍTULO 17		
093	CAPÍTULO 18		
096	CAPÍTULO 19		
100	CAPÍTULO 20		
103	CAPÍTULO 21		
106	CAPÍTULO 22		
110	CAPÍTULO 23		
113	CAPÍTULO 24		
116	CAPÍTULO 25		
120	CAPÍTULO 26		
124	CAPÍTULO 27		
126	CAPÍTULO 28		
130	CAPÍTULO 29		
135	CAPÍTULO 30		

"Então, cheguei à conclusão de que dá para ser o segredinho sujo de alguém e, ainda assim, ser o amor da sua vida, seu maior pecado e também sua mais valiosa bênção."

Safira de Castro
Acordei Grávida do Viúvo

NOTAS DA AUTORA

Maurice e Safira surgiram na minha cabeça bem no meio do meu processo de autoconhecimento, notei o quão potente é o amor, em todas as suas vertentes, e essa é a principal mensagem desta história. O amor que adoece, a falta de amor que mata a alma e, o principal e mais puro, o amor que cura.

Aviso:
O livro contém descrições eróticas explícitas e linguajar indevido. Pode conter gatilhos. Se você curte uma leitura polêmica e quente, com mocinhos de temperamento fora do padrão, então seja bem-vindo a conhecer meu trabalho.

PRÓLOGO

Safira

"Tome cuidado com o vazio de uma vida ocupada demais."
Sócrates

Tenho sede de controle, sempre anseio pelo que está por vir crendo que talvez seja esse o meu diferencial. Mas, há tempos, eu não conto com o acaso e acabo de redescobrir que é nele que habita as melhores surpresas.

Está escuro demais, minha visão está turva, dedos longos deslizam pela minha coxa erguendo o pano do meu vestido tubinho curto que escolhi despretensiosamente para usar hoje. Sinto o homem alto às minhas costas, como uma parede de aço, e suspiro quando sinto a mão quente serpentear apalpando minha bunda por cima do vestido.

O cheiro amadeirado é único, uma fragrância desconhecida e viciante, eu poderia cheirá-lo por dias a fio sem perder o interesse. Mesmo que eu tenha um vasto conhecimento em perfumes, sinto-me entorpecida pelas notas marcantes da essência.

O calor opressor que me causa o desconhecido que me tateia o corpo mantém minha mente sobre um completo estágio de torpor, ligada nele enquanto sinto a pele arder em cada canto que ele toca. Sua boca exala ar quente em minha nuca enquanto sua mão direita segura os meus fios em um rabo de cavalo, já a esquerda começa seu caminho para dentro da saia do vestido, lentamente chegando à minha calcinha. Eu não ofereço qualquer resistência, apreciando seu toque calmo e certeiro explorando meu quadril, tateando o tecido fino da minha lingerie.

E ainda assim, é insano me dar conta de que estou permitindo que um completo estranho me toque. E, por Deus, que toque quente!

Eu quero me arrepender
Não preciso me reconhecer
Eu quero esquecer meu nome
Virando o olho, só você pode

O pop *Fugitivos,* na voz inconfundível de Luísa Sonza, está alto demais denunciando a loucura que nos permitimos já que estamos em um local público. Entretanto, a iluminação, ou a quase ausência dela, especificamente neste canto nos garante certa privacidade.

— Você vai me fazer gozar só em tocá-la, Safira — murmura com a voz máscula e implacável.

O ambiente caótico de música alta e luzes pulsantes soa meio alucinatório, sinto as pernas cederem um pouco, enquanto ele roça seu corpo no meu me fazendo sentir a ereção dura e perfurante mesmo que por cima da roupa, e só posso desejar que ele acabe com a minha agonia.

— Diga que me quer — exige.

— Eu quero, muito — grito, perfurando o volume alto da música, cedendo ao meu juízo, esse homem no canto escuro vai ser para sempre meu segredinho sujo.

E, então, não mais que de repente, os meus olhos se abrem.

Olho para o teto branco, respirando profundamente, o sonho foi tão real que consigo sentir o corpo enervado, tomando consciência lentamente do tempo-espaço, percebo que estou coberta por um lençol fino, desço meu olhar batendo com a camisola que possui a logo de um hospital, como vim parar aqui?

Tento lembrar, mas nada me vem à mente, dou duas piscadas aceleradas e faço uma rápida checagem olhando ao redor.

Há apenas paredes brancas com itens hospitalares, algo bem requintado como nunca estive antes, diria até que futurista. Uma pequena cama ao meu lado esquerdo, acima de uma mesinha à direita há um grande monitor aferindo minha pressão arterial e batimentos cardíacos.

Assustada, eu me sento no leito hospitalar desconfortável e, apesar do frio insano causado pelo ar condicionado acima da minha cabeça, sinto o corpo ainda quente, minhas partes íntimas altamente lubrificadas, os mamilos duros. Pelo visto esse sonho erótico com o desconhecido me deixou desnorteada.

A porta se abre e me sinto envergonhada por estar excitada na frente de alguém. Ou melhor, de várias pessoas, já que são quatro entrando neste instante.

Três mulheres que nunca vi na vida, estando duas delas de jaleco com os seus nomes bordados, e uma com peças extravagantes e coloridas, tal como uma blusa vermelha sendo abraçada pelo sobretudo coral. Reparo que usa meias altas cinza com sandálias pretas de salto fino e tiras também finas, deixando as meias em total destaque. Quase torço os lábios em desgosto, definitivamente ela nada entende de moda, eu julgo.

E o último a passar pela porta é o único homem, analiso suas costas enquanto ele fecha a porta, dando-nos privacidade, ele é alto, tanto quanto o desconhecido do meu sonho, e gosto do jeito formal que está vestido. Calça de linho escura e suéter bege lhe caem bem, o ar de riqueza e poder exalando em cada uma das peças que revestem seu corpo largo e musculoso.

Subo meu olhar assim que ele se vira e me encara, fazendo-me sentir tão pequena como uma formiga sob seu escrutínio. Encontro uma ruga em sua testa, demonstrando preocupação ou talvez curiosidade a meu respeito ou então sejam os dois ao mesmo tempo.

Mas assim que nossos olhos se encontram, choca-me a beleza das suas íris azuis como vitrais. Pisco duas vezes rapidamente buscando o fôlego e fujo do seu encare descendo meus olhos diretamente para a boca delineada com o arco do cupido bem demarcado, e me sinto desconfortável por checá-lo.

Sua beleza é nebulosa, ele expira desconfiança e as mãos cavadas nos bolsos de sua calça denunciam seu desconforto enquanto a postura ereta demonstra sua rigidez, parece fácil ler seu temperamento.

O barulho da caneta demarcando o papel preso na prancheta da médica me faz sair de minha vistoria e perceber que o silêncio no quarto contrasta com a música alta do meu sonho. Além do mais, todos me encaram, curiosos, mas se há alguém com dúvidas aqui, esta sou eu, porque não faço ideia de quem sejam esses desconhecidos.

— Safira, como se sente? — ele diz e a sua voz me soa familiar.
Tão parecida quanto a... Não, não pode ser igual, apenas deve ser uma voz comum demais.
Mas ainda assim paraliso o olhar deixando surgir à mente a forma provocativa que o estranho do meu sonho disse: *"Você vai me fazer gozar só por tocá-la, Safira"*.
Ele se aproxima sentando ao meu lado na cama e o cheiro do seu perfume me leva a nocaute. Nunca vi esse homem na minha vida, mas a necessidade de mantê-lo sob meu olfato é quase uma obsessão.
Deduzo que devo ter ouvido seu timbre e sentido o seu cheiro enquanto estava desacordada e meu cérebro usou isso para me fazer sonhar, ou alucinei devido a medicação. E, por falar nisso, por que estou em um hospital?
Fecho os olhos com firmeza, balançando a cabeça freneticamente tentando me lembrar de como vim parar aqui.
E é como se houvesse uma ruptura, porque não consigo me lembrar de nada que não seja a minha vida de recém-formada no colégio decidindo o que quero da vida.
As risadas dos meus pais, a areia sob os meus pés em nossa casa de praia...
— Safira, tente se manter aqui conosco. — A voz da médica me faz piscar duas vezes retomando a consciência.
Estou machucada? Eu me acidentei? Onde está minha mãe? Afinal, ela nunca me permite sair sozinha ainda, mesmo que eu já tenha dezoito anos, diz que enquanto morar sob seu teto ela dita a minha forma de conduzir a vida.
— Safira?! — a médica chama novamente e percebo que mais uma vez me desliguei da nossa conversa.
Cravo as unhas em meu braço para que a dor me mantenha sem dispersar.
O que está acontecendo?

CAPÍTULO 1

Safira

A Realidade

— Nos deixe saber como se sente? — A mulher em seu jaleco, de voz suave e traços marcantes, como seu nariz angular, encara-me. Aceno positivamente, evitando falar, ainda assustada. — Farei algumas perguntas, preciso que me responda, certo?! — Concordo um tanto desorientada. — Vamos lá, como é o seu nome completo?

— Safira de Castro Almeida — respondo com certa obviedade, ela julga que não sei meu próprio nome?!

— Ótimo. Quantos anos tem, Safira?

Fecho os olhos e tento buscar na memória. Lembro-me do papai fazendo algazarra na hora de cantar parabéns enquanto eu sorrio e assopro as velas com os números dezoito, mamãe está ao meu lado, lembrando-me: "faça um pedido, querida". E não me recordo de mais nenhuma festa, sempre comemoro meus aniversários, eu amo festas.

— Dezoito, acabo de fazer dezoito anos — comento deixando um sorriso me cobrir os lábios enquanto me lembro do bolo sabor abacaxi com coco, que mamãe sempre faz no meu dia.

A médica morena à minha frente paralisa, faz uma anotação e respira fundo antes de fazer mais uma pergunta. Sinto o ar no ambiente totalmente por um fio, tensão exalando por entre todos os presentes, inclusive sinto o homem sentado ao meu lado se retesar por inteiro.

— Diga-me, Safira, qual o seu maior sonho neste momento?

Bem, quero um dia casar como os meus pais, tendo um relacionamento feliz. Mamãe me confidenciou que casou virgem e suspirei considerando romântico o ato de esperar por sua verdadeira alma gêmea, quase poético, e decidi que também me guardarei para meu futuro marido. Sei que muitos acham besteira, então não direi isso a pessoas estranhas, limito-me ao âmbito profissional.

— No momento, almejo começar a faculdade de Engenharia. Quero trabalhar por trás das câmeras, com emissoras de televisão — comento com sinceridade.

— Precisaremos fazer rapidamente uma transvaginal, pode ser incômodo no início...

Corto a outra médica:

— Não posso fazer transvaginal, eu sou virgem.

Minhas bochechas ardem por revelar isso na frente desse homem, mas nas vezes em que faço preventivo é sempre com o palitinho. Mas afinal, por que esse homem está aqui? É algum médico?

— Oh, Deus! — Parecendo ouvir os meus pensamentos ele soa exasperado.

Olho novamente para a médica que me fez perguntas.

— Quem é ele? — Minha curiosidade me faz questionar, mas os dois trocam olhares cúmplices.

— Safira, foque a atenção em mim...

— O que estou fazendo em um hospital? Chega de perguntas, também quero respostas — confronto.

— Querida, se atenha a me responder em um primeiro momento e...

— Não! — corto-a. — Onde está a minha mãe? Ela sabe que estou hospitalizada? Meu pai, ele deve estar muito preocupado.

— Calma, querida!

— Não, eu preciso sair daqui.

Levanto-me, retirando os fios grudados em minha pele, e em seguida me ergo saindo da cama.

— Vou chamar a enfermaria para contê-la, senhor Tozzini — diz uma das médicas, referindo-se ao homem que estava sentado ao meu lado.

Por acaso ela acha que sou louca?

Ignoro a todos e saio da cama, deixando um rastro de aparelhos caindo pelo chão, e ouço a voz máscula ordenar:

— Ninguém vai tocar nela! Deixe-a.

— Mas, senhor...

Caminho em direção ao banheiro e vou para o grande espelho colado na parede e, assim que a minha imagem reflete, abro os meus lábios, assustada. É como se eu encarasse uma estranha.

Meu cabelo castanho-claro está ruivo acobreado e não possui mais nenhum de seus cachos naturais; são apenas ondulados. Meus lábios estão maiores e menos pálidos, o nariz mais fino.

Desço o olhar e dou um passo para trás ao ver os seios. Nunca os tive, sempre fui reta como uma tábua, no entanto, agora, parecem maiores e firmes. Eu os toco com meu indicador e arfo, assustada, constatando que são firmes. Silicone!

Como isso pode ter acontecido?

Engolindo em seco, vagueio meus olhos pela camisola hospitalar azul-claro e me chama a atenção como parece embolada em minha barriga. Toco o tecido, grudando-o em minha pele, e percebo que tenho um pequeno ovinho na parte do baixo-ventre, é quase imperceptível, mas como sempre fui bem magrinha não me passa despercebido.

Coloco as mãos por dentro da camisola e sinto a pequena protuberância. Como o meu corpo mudou tanto?

Olho novamente para o espelho e agora o homem me encara enquanto se sustenta no batente.

— No que está pensando, Safira? — questiona, aproximando-se sorrateiramente de mim.

Sinto-me tremer, como posso ser essa pessoa refletida no espelho e nem sequer me lembrar de como cheguei à construção de cada mudança?

— O que aconteceu comigo? — pergunto sentindo lágrimas salpicarem nos olhos. — Achei que estava doente, mas pelo visto estou... Desequilibrada, louca, nem mesmo sei.

Meu queixo treme segurando a represa de choro que está por vir.

— Você não está desequilibrada e não está louca, apenas perdeu a memória. Aparentemente, dos seus últimos sete anos de vida. — A voz máscula esclarece enquanto ele se aproxima lentamente, parece com medo de chegar perto demais, o que é incoerente com o que sua boca linda me diz, afinal, as pessoas temem os loucos.

Novamente me encaro no espelho, esta não sou eu. Definitivamente, não.
— Então, eu não tenho mais dezoito?
Viro para ele tentando buscar respostas. Se de fato perdi a memória, preciso achá-la de alguma forma.
— Definitivamente, não.
O olhar azul me engolfa, e agora falta apenas um passo para que seu corpo esteja colado ao meu. Sua respiração balança os fios do meu cabelo ruivo.
— O-oque você é meu? — gaguejo pelo desconcerto de tê-lo tão perto, mas ainda sem me tocar.
— Eu sou o pai do seu bebê.
A revelação faz uma lágrima teimosa cair dos meus olhos. Então, o pequeno ovinho em minha barriga é de fato um bebê. Ou será que já o tive?!
— Estou grávida? — pergunto com lábios trêmulos.
— Sim, está. Aproximadamente de três meses.
— Você é... — Deixo as palavras morrerem, ainda confusa.
— Como lhe disse, sou o pai do seu bebê — repete.
Olho para a minha mão esquerda em busca de algum anel, afinal, eu nunca teria um bebê com um homem que não fosse meu marido. Não me entregaria a um homem antes de subir ao altar, como sempre sonhei.
— Somos casados há quanto tempo?
Ele ergue uma sobrancelha com a pergunta.
— Nem sequer nos conhecemos, Safira. Transamos em uma balada e três meses depois você apareceu em meu escritório, cuspindo regras de como devo apenas registrar essa criança para que tenha nome de pai na certidão e em seguida me anular desta paternidade — ele diz, fechando os punhos.
Consigo sentir a sua raiva por mim exalando.
"Nem sequer nos conhecemos".
Deus! O que eu me tornei? Deixo cair uma lágrima.
— Você quer o bebê ou não quer a responsabilidade, já que nem sequer nos conhecemos?
— Eu quero o bebê, mais do que tudo — confessa e ergue a mão esquerda, limpando a lágrima que fez seu caminho pelas minhas bochechas.
Intuitivamente meu olhar recai para sua aliança no dedo anelar esquerdo e lanço para ele um olhar inquiridor.

— Você é casado?! Eu me tornei uma pessoa que estraga lares? — pergunto, esquivando-me de seu toque quente.

Levo as mãos à cabeça e deixo as lágrimas caírem. O que fiz com meus sonhos de menina?!

— Sou viúvo. Há menos de um ano, perdi minha esposa.

Um viúvo que ainda usa aliança. Será que ele a usou quando concebemos esse bebê? Será que me importei se ele a estivesse usando?

— Então, eu vou ter um filho com um desconhecido, estou sem memória — listo a sequência de absurdos. — Eu só queria dormir de novo e, quando acordar, ter tudo sob controle novamente.

— Safira, a psicóloga e a psiquiatra vão ajudá-la a sair dessa. Prometo que vou contratar os melhores especialistas do país para você — ele diz.

No entanto, consigo sentir a indiferença em seu olhar. Esse homem não me ama, nem sequer me conhece. Não tenho meus pais por perto, não sei quem sou ou o que me tornei e, para fechar com chave de ouro, estou grávida.

Ou melhor, acordei grávida de um viúvo.

CAPÍTULO 2

Safira

O Elo

— Estou enlouquecendo.
— Você precisa descansar, o que acha de deitar um pouco?! Vou pedir que lhe sirvam algo quente para comer.
— Obrigada, mas não sinto fome. — Fungo tentando me controlar, o que menos quero agora é desabar.
— Safira, não dê ênfase para o que está errado, sim, para o que está acontecendo agora. Você está saudável e sã, tenha isso em foco.

Caminho para fora do banheiro, ignorando-o. Quero me enterrar na cama de hospital e ficar sem falar ou pensar por horas, mas retrocedo um passo quase batendo de frente com a mulher de sandália e meias.

— E então, Maurice, já podemos levá-la? Consegui um voo para hoje ainda, porém precisamos sair daqui o quanto antes.

Seu tom autoritário não me passa despercebido, reprimo a vontade que possuo de gritar com ela, mesmo sem conhecê-la.

Maurice. Este é o nome do pai do meu bebê. Maurice.

— Eu mandei você esperar lá fora! — ele rosna para a mulher de cabelo castanho-escuro, com um corte repicado, dando a ela um ar moderno.

Pelo que percebi, o clima aqui não está dos melhores.

Os dois se encaram e a mulher não se intimida com a fúria aparente no rosto do pai do meu bebê. De queixo erguido, ela vai até ele e aponta o indicador de unhas grandes e vermelhas.

— Eu sou a empresária dela, não posso ficar de fora por um capricho seu.

— Empresária?! Eu quero falar com meu pai.

Assim que comento, ela gargalha e me encara antes de revirar os olhos.

— Safira, chega de ser a esquecida. Seu pai está morto há sete anos, querida — diz e grita para as paredes em seguida: — Que remédio forte é esse que deram a ela?

— O quê?! — Desequilibro-me com a notícia do meu pai e o tal Maurice me segura pela cintura com mãos firmes. Por um instante a quentura me lembra do sonho e da forma como o estranho me tocava por trás — como ele está agora —, mas a realidade surge como um chicote estalando e me ferindo. — O que ela está dizendo?! É mentira! Eu quero falar com meu pai...

— Sai daqui ou eu chamo a segurança para te pôr pra fora — ele exige, ainda me amparando, e a mulher o encara.

— Só saio daqui com minha agenciada, temos um voo para pegar. Ela vai pra semana de moda em Paris.

— Ela não está indo a lugar algum. Agora, saia daqui.

— Maurice. — Viro para ele com as lágrimas molhando por inteiro meu rosto. — É mentira, não é?! Diga, por favor, preciso confirmar que meu pai está vivo — digo, sentindo as pernas tremerem.

Ele olha para a mulher além de mim por um segundo e fecha os olhos, tomando uma respiração profunda. Quando os reabre, toca a maçã do meu rosto.

— Eu não sei, querida. Não sei nada sobre a sua família, mas vou atrás disso se quiser.

A médica retorna para o quarto, roubando nossa atenção. Mantenho-me escorada em Maurice, temo que a qualquer momento mais notícias ruins venham me fazendo desabar.

— Bem, Safira, sou sua psicóloga há aproximadamente um ano. Eu me chamo Paula e, bem, já tenho um diagnóstico para te orientar — diz com cautela. Seguro a manga do suéter de Maurice, sabendo que será algo difícil de lidar. — Pelo pouco que conversamos desde que acordou, e levando em consideração que nos últimos meses houve um aumento das suas crises de ansiedade e estresse, andei notando que em nossas últimas conversas já havia alguns pequenos lapsos de memória...

— Isso é totalmente normal. Ela tem uma agenda louca, é só lhe passar remédios que tudo ficará bem.

— Julgo que não, senhora Moreti — a psicóloga corta a minha "pseudoempresária". — Com a descoberta da gravidez, Safira elevou ao extremo seu nível de estresse e entrou em crise, e agora a consequência é que ela perdeu os últimos sete anos de sua vida.
— Não temos tempo, doutora. Diga o que ela precisa tomar para a memória voltar, mesmo que seja caro ou raro, eu acho o remédio até no fim do mundo.
— Certo, é um remédio realmente caro e raro, senhora — a psicóloga diz com um sorriso nos lábios.
— Qual é? — A empresária pega o celular e começa a digitar.
— Tempo.
— O quê? — Todos nós dizemos em uníssono.
— Este é um quadro de amnésia dissociativa. Provavelmente Safira voltou para os últimos momentos de sua vida em que não convivia com a dor e com acontecimentos traumáticos. A esta altura, ela ainda não tinha perdido o pai, ainda tinha a mãe presente em sua vida e não tinha as crises de ansiedade que a vida pública lhe causou. É um mecanismo de defesa da própria mente, portanto, só o tempo fará essas memórias voltarem.
— Estamos falando de quanto tempo em média, doutora? — a empresária pergunta, desfazendo o silêncio cortante do quarto; sua voz é quase um sussurro.
— Dias, semanas, meses... Não tem como precisar. O ideal é que ela tenha uma rotina saudável, terapia...
— Impossível! A agenda dela está lotada até o início do ano que vem, sem contar as marcas com que temos contratos de anos à frente para cumprir.
— Foda-se a agenda, voos e toda essa merda! Safira não está em condições. — O tom de rosnado da voz dele soa tão familiar...
— Senhor Tozzini...
— Você vai calar a boca e ouvir a médica, ou então eu vou mandar que te retirem da sala. Está ouvindo?! Safira não está em condições de se estressar, está grávida, confusa e você mais parece uma nuvem trazendo raios para este ambiente — fala entredentes e até eu me encolho. A mulher a sua frente revira os olhos, então coloca o celular no bolso e baixa os ombros em uma postura mais amigável. Parecendo realmente preocupado, ele fala: — Pode continuar, doutora.

— Bem, essa perda de memória geralmente é causada por um trauma ou estresse, ou por conflitos internos tensos. Creio que a descoberta da gravidez pode ter sido algo grande para você — a médica diz, encarando-me.

— Estou assustada, não consigo me lembrar dessas pessoas — conto, olhando para o pai do meu bebê e para minha empresária.

— Eu vou tentar negociar com os contratantes desse mês, para que ela tenha uma folga. Vai ser um caos. — Sandálias com meias é quem diz, parece mais dar uma explicação para si do que para os outros no quarto.

— Você está de alta, mas, como eu disse, precisa de rotina, exercícios e terapia. Tudo isso com constância.

— Eu nem mesmo sei para onde ir, doutora — digo, envergonhada.

— Vou levá-la para sua casa, é perto daqui — a empresária oferece, mas confesso que gostaria de seguir com Maurice, gosto do jeito como ele me ampara.

Conforme possuo sua atenção, ouço o alto suspiro que sai de seus lábios, as mãos grandes me tocam colocando um punhado de cabelo atrás de minha orelha.

— Vou deixá-la para que a sua empresária te ajude a se vestir. Em seu celular cadastrei meu número como contato de emergência, mas caso não saiba como usá-lo... — Retira do bolso um cartão preto que possui seu nome cravado "Dr. Maurice Tozzini", há um símbolo da deusa Têmis, e deduzo que ele seja um advogado. — Pronto, aqui está, este é o meu número pessoal. Não hesite em me ligar para o que precisar.

— Está certo, obrigada! — falo fracamente, desvencilhando-me dele, mesmo que a minha vontade seja de gritar que não me deixe.

No instante seguinte o vejo virar e ir para fora, então me sinto desapontada.

— Não fantasie. Vocês dois apenas fizeram esse bebê de forma inconsequente — sandálias e meias alerta. — Acredite em mim, a verdadeira Safira não ia nunca querer um homem como esse em sua vida, assim como ele não quer você e sua bagagem na vida dele.

— Nosso único elo é esse bebê, eu já entendi — sintetizo.

Por mais que eu sinta que ela diz a verdade, porque ainda o quero tanto?!

CAPÍTULO 3

Safira

A Vida dos Sonhos

Deus é justo, no entanto não mais que esse vestido que estou usando. É insano! Quase não entra no meu corpo, precisei de muita força para fazê-lo passar pelos meus quadris, estou ofegante e irritada.

— Gabriel, excelente, não podemos ainda vazar o estado clínico da Safira — sandálias e meias diz ao telefone e se aproxima, ajudando-me a escovar os nós do cabelo.

— Querida, preciso que passe ao menos uma cor nessas bochechas. O hospital está rodeado de *paparazzi*.

— Por quê?

— Alguém vazou que você deu entrada aqui. Menos de uma hora depois de conseguirmos interná-la, estão todos sedentos para ter uma foto sua.

— Por Deus! Por que teriam interesse em ver alguém que está doente?

— Querida, a sociedade mudou muito nos últimos anos, até de gente morta gostam de ver imagens.

— Credo!

— Bem-vinda ao mundo! Ao seu mundo, Safira. Tome! — Joga uma *nécessaire* em minhas mãos. — Faça algo por seu rosto, preciso dar mais um telefonema para ter certeza de que temos reforço suficiente para tirá-la daqui, em segurança.

Ela sai do quarto e me pego respirando fundo. Sandálias e meias fala rápido demais, quase não consigo acompanhar seu raciocínio, a velocidade acelerada de sua voz me faz ficar angustiada.

Olho para a pequena bolsa a minha frente e, de forma surpreendente, consigo usar cada um dos itens. Sei como esfumar os olhos, fazer um bom contorno em meu rosto e até passo um batom rosado nos lábios. De modo espantoso isso me faz um bem danado, descobri que gosto de me maquiar.

Quando regressa ao quarto, ela dá um sorriso satisfeito.

— Preciso que me diga seu nome — falo, afinal, não posso chamá-la de sandálias e meias, certo?!

— Rose Moreti.

— Certo! E então você trabalha comigo? Há quanto tempo? De fato, você me conhece?

— Bem, comecei a trabalhar com você logo que os seus vídeos começaram a bombar nas redes. Você estava perdida sobre precificar seu trabalho e as marcas foram implacáveis atrás de ter seu rostinho atrelado a elas — comenta e ouço com atenção. — Aproximadamente há cinco anos que já estamos juntas e, sim, eu a conheço como a palma da minha mão, como uma mãe conhece sua cria — diz e reparo que ela não deve ser assim tão mais velha que eu, chutaria quarenta anos, no máximo.

— Pelo que Maurice me disse, não fui muito legal com ele quando contei sobre a gravidez.

— Hum... Sabe, Safira? Como uma pessoa pública do tamanho que você é, não tem como ser legal com todos, existem momentos em que você precisa fazer o que de fato precisa ser feito.

— O que quer dizer com isso?

— Quero dizer que gerar o bebê de Maurice Tozzini foi a maior burrada que cometeu e, embora não consigamos chutá-lo da sua vida, já que ele quer de fato ser pai da criança, então foi necessário colocá-lo em seu devido lugar. Não vou te julgar por isso.

— Você tem palavras duras, Rose.

— Para lidar com o mundo dos famosos é necessário ser dura, Safira. Ensinei-lhe isso uma vez no passado e estou disposta a ensinar agora se preciso for. Mas não se preocupe, você possui a vida dos sonhos de qualquer mulher.

A vida dos sonhos... Mas por que isso vai contra tudo o que já sonhei um dia?!

Passo a entender parte das palavras de Rose no instante em que piso fora do quarto de hospital. Funcionários me encaram e cochicham, vi alguns tirando fotos minhas disfarçadamente com seus celulares.

Uso um óculos escuro que esconde metade do meu rosto como Rose orientou e, se me senti desconfortável dentro do hospital, não fazia ideia da loucura do lado de fora.

Flashes me cegam, coloco a mão no rosto tentando enxergar onde estou pisando, no entanto, parece uma missão quase impossível.

Perguntas ficam soltas no ar, gritos de pessoas dizendo me amar, choros, mãos agarram minhas roupas, unhas arranham a minha pele, até meu cabelo sinto ser puxado. É insano.

Caminhamos com dificuldade através do cordão de isolamento feito por seguranças que mal consigo ver o rosto, isso tudo porque, segundo Rose, os fãs estão preocupados comigo e vieram me ver, carregando com eles parte da imprensa que está sedenta em saber meu estado clínico.

Sinto que as vozes estão distantes, minhas mãos tremem e meu coração tamborila desgovernado. Minha respiração fica errática, coloco a mão no peito sentindo que posso desmaiar, então a porta do carro é aberta e sou praticamente jogada no banco traseiro.

Puxo o ar com força e Rose me empurra, entrando e se sentando ao meu lado.

— Já disse que não temos nada a declarar — grita e com dificuldade consegue fechar a porta do carro.

— Meu Deus! — exclamo, ainda tentando recuperar o fôlego.

— Uma legião de fãs veio acampar à porta do hospital assim que souberam que você deu entrada aqui.

— Chefe, já tem gente reclamando na internet que Safira não tirou foto com nenhum fã, não deu atenção. Estão dizendo que o sucesso lhe subiu à cabeça — um menino sentado no banco do carona diz, olhando para o telefone.

— Relaxa! Até a próxima semana eles encontram outro Judas para malhar[1].

---

[1] Na tradição popular, a Malhação de Judas consiste em construir um boneco do tamanho de um homem, forrado de serragem ou trapos, surrá-lo pelas ruas do bairro e atear fogo ou enforcá-lo. No Brasil, era comum

Olho para as minhas mãos apoiadas em meu colo e reparo que estão geladas, eu as esfrego em busca de calor e me dou conta que o meu corpo inteiro treme.

— Safira, armei um esquema para que a notícia sobre seu estado clínico não vaze, então somente sua psicóloga, a obstetra, Gabriel — diz apontando para o jovem no banco do carona —, Maurice e eu que sabemos de tudo.

— E a minha mãe?

— Querida, não sei como te contar isso sem lhe ferir, mas, você e sua mãe não se veem há anos, pelo que você comentava, ela decidiu viver reclusa após a morte do seu pai, e você não tinha tempo para...

— Chega! — corto-a. — Pelo amor de Deus, como dói ouvir o quão cruel me tornei.

— Safira, não é crueldade. Você não pode se dar ao luxo de viver reclusa igual a ela.

— Quero ir vê-la.

— Sem chances! Ela está morando na casa de praia de vocês, em Ilha Grande, e não há brecha em sua agenda para que vá.

— Que agenda, Rose? Como eu posso vender para as pessoas uma imagem de alguém que não sou mais?

— As multas contratuais são milionárias. Se simplesmente jogar tudo pro alto, você quebra e ainda sai devendo, menina. Portanto, não temos tempo.

Recosto no banco e fecho os olhos. A sensação de angústia me tomando o peito, lembro-me do cheiro de Maurice e automaticamente meus ombros caem menos tensos.

Quando penso no sonho, questiono-me se de fato era com ele, já que o desconhecido não me mostrou o rosto por eu estar de costas. Mas, o cheiro e as mãos eram as mesmas, inconfundíveis.

No entanto, sei que Maurice não gosta de mim e, somando um mais um, pelo que Rose e o próprio disseram, eu fui

---

enfeitar o boneco com máscaras ou placas com o nome de políticos, técnicos de futebol ou personalidades que seriam "canceladas" pelo povo.

grosseira com ele o colocando em "seu lugar". Aliás, que lugar eu julguei que seria?

Por falar em lugar, ainda estou atônita com a quantidade de pessoas à porta do hospital, isso só quer dizer que sou muito conhecida, mais do que supus.

— Então, eu sou famosa. É curioso, porque sempre quis trabalhar por trás das câmeras, sou tímida demais — confesso.

— Não mais, querida.

— Como eu comecei?

— Gravando vídeos de rotina, tutoriais de maquiagem e penteados...

Faz sentido, sempre fui extremamente vaidosa, acordava duas horas antes de ir à escola para me maquiar e me pentear. Nunca aceitei as unhas sem estarem pintadas, por isso que realmente faz muito sentido.

— Então, sendo assim tão famosa, eu tenho bastante dinheiro?

— Muito! Você é rica, bem-sucedida. Você é o momento, garota!

Assisto-a sorrir, mas meu coração aperta. Lembro-me da minha infância, dos meus princípios e isso tudo parece outra vida para mim.

— De nada adianta tanta coisa boa se não tenho meus pais para comemorarem comigo — confesso, mas Rose revira os olhos.

— Você tem a vida dos sonhos, dois *closets*, um que você mantém com roupas que ainda nem usou. Sua mansão é alugada, mas já enviamos uma proposta de compra ao proprietário.

— Mansão?!

— Pois é, estou te dizendo, você tem a vida dos sonhos.

Opto pelo silêncio durante todo o trajeto, até que estejamos na Barra da Tijuca. O carro segue sem interrupções para dentro de um luxuoso condomínio e, boquiaberta, olho para cada umas das casas com arquiteturas glamorosas.

Papai me proporcionou uma vida boa, bons cursos, escolas particulares de alto padrão, casa confortável, já que era delegado, enquanto minha mãe era uma *personal trainer* renomada, ainda assim, não morávamos em uma mansão.

Assim que o carro é autorizado a passar para dentro do grande portão automático branco, o meu coração tamborila no peito. Esfrego minhas mãos e sinto o ar faltar no pulmão, o cheiro do lugar me soa familiar, embora eu nunca tenha vindo aqui.

— Bem-vinda a sua casa! — Rose diz assim que o carro estaciona, ela sorri enquanto eu sinto que vou sufocar.

De forma mecânica, vou para dentro da casa com ela, sigo ignorando o pequeno jardim frontal e a área de lazer à direita.

O primeiro cômodo da casa é a sala de estar e em um rápido zoom na mesa de centro encontro um punhado de remédios. Passo os olhos, lendo rapidamente, antidepressivos de tarja preta, hipnóticos, olho para a empresária que está digitando freneticamente em seu celular.

— Isso tudo é meu? — pergunto enquanto ela sorri sem jeito, afirmando. — Essa é a vida dos sonhos que eu tenho?

Pego o tanto de remédios em minhas mãos e ela me encara com desdém.

— Sua agenda é uma loucura, nossa rotina é sobre-humana, essa é a forma que você tem de não enlouquecer.

— Parece que não funcionou. — Adiciono o sarcasmo e ela gargalha.

— Essa é a minha garota voltando — zomba. Novamente fitando o celular, comenta: — Tenho que ir resolver as coisas.

— E quem vai ficar comigo? — Deixo a pergunta sair assim que olho ao redor da enorme casa de dois andares.

Tudo aqui é branco, do piso ao teto, poucos objetos de decoração, mas possuem muitos quadros nas paredes. Em todos estou eu — ou melhor, a Safira do futuro, já que possui mais idade e vivência —, em poses poderosas, demonstrando sensualidade e segurança. Pareço verdadeiramente uma mulher feita, embora neste momento me sinta uma garota assustada; a Safira do passado encarando a Safira do futuro.

Que grande brincadeira do destino!

Imagino-me só, aqui, encarando esses quadros que representam alguém que não sei como foi construída, sem memória e grávida, nem mesmo sei o que sente de fato uma grávida.

— A empregada?! — indaga, parecendo só agora tomar a consciência de que preciso de alguém. — Merda! Não pensei nisso e tenho milhões de coisas para fazer. — Fita o chão por alguns segundos e algo brilha em seu olhar. — Que tal tomar um remédio para relaxar e dormir?! Você precisa de repouso.

— Estou grávida, não sei se posso tomar essas coisas.
Faço uma careta e ela dá de ombros, sua melhor ideia foi me colocar para dormir?
— Você vai precisar ficar sozinha só por hoje, mas eu juro que amanhã contrato um acompanhante.
— Acompanhante?! Excelente! — Reviro os olhos, isso é tudo tão patético. — Não precisa contratar ninguém, ficarei bem.
— Está certo. Qualquer coisa me liga, querida.
— Antes de ir, preciso que me fale mais da minha mãe.
Engulo em seco, a curiosidade me tomando inteira.
Mamãe e eu sempre fomos muito amigas, até meu pai sentia ciúmes da nossa união. Eu sempre admirei a cumplicidade dela com papai, um delegado que lutou de forma árdua para terminar a faculdade e passar em concurso público, mesmo já estando casado e tendo a mim para sustentar.
— Safira, desde a morte... Bem, você sabe. — Ao ver meus lábios entreabrirem ela decide cortar a frase, ainda não consigo crer que meu pai morreu. Que dor! — Sua mãe não sai mais de casa, você costumava dizer que ela parou de viver mesmo respirando.
— Isso não... — Eu me seguro à parede, esse assunto me deixa desestabilizada.
— Sim, querida. É duro, eu sei.
— Como ele morreu?
As lágrimas embaçam a minha vista e olho para minhas mãos.
— Algo sobre uma emboscada em uma operação policial.
— Minha mãe ao menos sabe que estou grávida e sem memória? Talvez isso a fizesse sair de casa.
— Ela, bem... Ela sabe, Safira e ainda assim não virá — diz e um soluço foge da minha garganta.
— Como eu pude abandoná-la? Ela deve estar sofrendo muito ao ponto de nem mesmo se importar comigo, de vir cuidar de mim. Como a nossa relação se perdeu tanto?
— Serei redundante, mas a sua agenda...
Corto-a e começo a gritar sem controle:
— Que merda de agenda é essa que me impede de estar ao lado da minha mãe quando ela mais precisa de mim?
— Escolhas, querida... Nada é fácil nessa vida.

Caminho até a janela e olho para o quintal vasto. Sinto que vou sufocar nesta casa, a energia daqui me deixa inquieta, não sei por qual motivo.

Toco o vitral e ouço a minha empresária, que há minutos atrás eu nem sequer sabia o nome, dizer algo que não dou atenção antes de sair e não me importo se ela fica ou vai embora.

Que vida dos sonhos é essa que as pessoas dizem que eu tenho se vivo sozinha e drogada por remédios?

Tantos seguidores, como dizem, no entanto só tenho empregados para cuidarem de mim, pessoas que só estão aqui porque são pagas para isso e estou grávida de um homem que mesmo não me conhecendo me detesta. Definitivamente, isso está longe de ser a vida dos sonhos. Alguém deturpou muito os *meus sonhos*.

— Senhora, licença. — A voz de fumante não chega a mim antes do cheiro de nicotina invadir meu olfato. Nem mesmo me viro, apenas faço o gesto com a mão para que continue. Penso em ignorá-la, já que tenho muitas decisões a tomar acerca da minha vida, mas a frase seguinte me tira de órbita. — Tem um homem à porta, se chama Maurice Tozzini, ele quer vê-la. Devo liberar?

CAPÍTULO 4

Safira

A Gentileza

— Sim! — Precipito-me falando rapidamente. A passos largos, vou até um espelho conferir minha maquiagem, novamente tomo um susto ao me deparar com a imagem refletida. Será que nunca vou me acostumar à minha nova aparência?

Ajeito meu cabelo o jogando para o lado e amassando as pontas para dar-lhes volume e internamente me julgo por estar me arrumando para ele, que me detesta.

Estalo os dedos nervosamente enquanto vejo a porta ser aberta.

— Oi! Seja bem-vindo!

— Encontrei sua empresária à porta. Não acredito que ela teve a coragem de te deixar sozinha.

— Como Rose diz, a vida é como é. Pelo que parece, tenho empregados para me manterem viva. — Dói dizer a última frase, sou tomada de desconforto, mas não quero me lamentar para ele. — O que veio fazer aqui?

— Vim ver como está, como se sente. Fiquei perturbado depois de vê-la tão vulnerável naquele hospital.

— Estou bem, Maurice. Tão bem quanto uma prisioneira presa na torre.

— Por que diz isso?

— Essa casa me deixa angustiada. Acho que estou me sentindo sozinha e isso está me apavorando, mas vai passar. Vou me acostumar com o tempo.

— Safira. — Ele coloca sua mão em meu queixo e ergue levemente meu rosto até que eu esteja admirando seu olhar

azul. — Eu vou te dizer tudo que queria no dia em que você invadiu meu escritório falando da gravidez. Não tive tempo para digerir a notícia e dizer o que se deve, mas pretendo fazer agora.
— Maurice, não estou com cabeça para pensar nesse bebê agora. Eu...
— Escuta, por favor!
Respiro fundo e concordo, quase gritando de frustração quando seu toque abandona a minha pele.
— Quero dizer que, apesar de estarmos em momentos diferentes da vida de nossos ideais serem opostos do estilo de vida não combinar em nada, de haver um abismo entre nós e tudo mais... Vamos ter um filho juntos, então acho que as diferenças não podem falar mais alto do que essa nova vida que vai nos unir pra sempre.
— Você tem razão, Maurice. Acho que é isso que eu sinto, quero realmente me dar bem com você... Por causa do bebê.
— Nós não planejamos, mas também houve descuido de ambas as partes. Principalmente meu, que sou o mais velho da relação, mas quero dizer que não vou te abandonar e só te encontrar quando o bebê nascer para conversar sobre a guarda, como você me sugeriu.
— Eu te disse isso?! — Fecho os olhos fortemente, envergonhada, mas reabro em menos de dois segundos. — Desculpe! Eu realmente não quero isso, mas, Maurice, sinceramente eu não sei mesmo o que fazer com uma criança — digo e ele sorri, repuxando os lábios e se aproxima um passo.
— Você me disse isso, usou exatamente essas palavras quando me contou sobre a gravidez.
— Ótimo! Enfim algo que tenho em comum com o meu eu do futuro.
Rio, desgostosa.
— Você me disse que a aconselharam a abortar, mas você resistiu e, mesmo confusa, com medo e sem saber o que fazer, escolheu assumir as consequências. Isso me encheu de orgulho. — Fico boquiaberta com a revelação. — Você é uma menina boa, só está perdida, e com isso me refiro a todas as Safiras que existem aí dentro. Não se julgue tanto.
— Obrigada! Eu realmente precisava ouvir isso.

Olho para o quadro. Na imagem estou sorrindo, olhando para cima, com uma paisagem campestre às minhas costas.

— Eu me pergunto se ela enxergava o quanto vivia uma vida falsa. Veja que lindo aquele sorriso. Agora, olha ali... — Aponto para os remédios na mesa. — É tudo muito contraditório, minha empresária diz que tenho tudo, mas... Cadê o tudo? Olha ao redor, Maurice. Estou completamente sozinha e abandonada.

Deixo cair uma lágrima, que ele seca no mesmo instante.

— Eu posso trabalhar em *home office* por um tempo, assim te acompanho à terapia. Podemos ver uma atividade física que você possa fazer, que não prejudique o bebê, e ter a rotina mais saudável que a psicóloga disse. Vamos para minha casa, você não está só.

— Não quero ser um fardo, você acaba de ficar viúvo. Deve odiar a ideia de ter uma mulher na casa que era de sua esposa.

— Eu não moro mais lá, eu a mantenho fechada.

— Sério?!

— Aluguei uma cobertura, onde moro recentemente. Eu não conseguiria permanecer lá, precisava... Na verdade, preciso me curar.

— eu te entendo.

— E eu entendo se preferir ficar na sua mansão luxuosa...

— Não quero. Pode ser uma loucura, mas eu quero ir com você. — Olho ao redor e respiro fundo. — Isso tudo aqui me adoeceu. Eu também preciso de cura, Maurice.

— Está certo!

— Bem, pelo que a Rose disse, eu tenho de trabalhar e...

— A prioridade agora é a sua saúde — corta-me.

— Mas tem os contratos e...

— Eu sou advogado, vou encontrar alguma brecha que lhe dê o tempo que precisa.

— Maurice, não quero incomodar você em sua casa.

— Limites serão impostos para que não ocorram incômodos.

— Está certo! Eu realmente aceito, vou separar algumas roupas para levar. Vem comigo?

Estendo a mão e ele a olha, receoso. Eu a abaixo e entendo que esse deve ser um dos limites que serão impostos. Caminho seguindo na frente, sentindo-o vir às minhas costas.

CAPÍTULO 5

Safira

O (Re)Começo

— Eu tenho seios para tudo isso? — questiono erguendo o vestido de bojo com um profundo decote.

Estou realmente assustada com as roupas que uso, sensuais, com cores vibrantes. Bem diferentes da discrição que antes prezava.

As luzes automáticas do pequeno corredor, que dá para este *closet*, acendem denunciando a chegada de Maurice.

— Bem, eu creio que tenha sim — diz olhando para meu busto.

— Meu rosto está aqui em cima, Maurice — repreendo segurando um sorriso.

Está aí um ponto que preciso dar à Safira do futuro, esse silicone ficou incrível, totalmente natural.

— É só que... — gagueja dando em seguida uma tossida e me encarando. Ele parece... constrangido por me checar? — Quero dizer que você está grávida, os seios costumam crescer na gestação.

— Lábia de advogado?

— Talvez! — Ele pisca, e mordo os meus lábios achando uma graça seu jeito mais despojado comigo. — Anda, termina logo essa mala.

— Tudo bem, senhor mandão. Acho que já terminei.

Tento fechar a mala de rodinhas que encontrei no interior das intermináveis prateleiras com roupas e sapatos. Fiquei perdida com a quantidade de acessórios e joias. No meio do *closet* possui um grande expositor com variados frascos de perfume, testei os que achei mais bonitos e escolhi levar apenas dois que possuem uma nota floral adocicada, mas bem suave. Alguns me embrulharam o estômago.

Tudo isso porque nem sequer entrei no outro *closet*, o que possui itens que ainda nem ao menos usei.

Enquanto Maurice volta ao celular, reparo em suas costas largas, a roupa se ajusta bem aos seus músculos. Apesar da feição carrancuda que sustenta a maior parte do tempo, ele foi bem paciente, manteve-se do lado de fora em ligações durante a última uma hora em que levei checando o que possuo e separando os meus itens básicos.

Ainda não sei por quanto tempo pretendo ficar na casa dele, por isso considerei prudente levar apenas uma mala grande. No decorrer dos dias, decido o que fazer.

Se a Safira do futuro calculava cada passo dado, essa definitivamente segue o passo inesperado que a vida lhe dá para caminhar.

— Vamos? — digo, respirando fundo.

Nunca imaginei que Maurice fosse o tipo de homem que abre a porta do carro para uma mulher, mas sim, ele o fez. Além de carregar minha mala por todo o caminho para fora da casa.

Cogitei a hipótese de seguir no banco de trás, afinal, ainda não sei como me portar ao redor dele. No entanto, Maurice fez questão de abrir a porta do carona para mim, além de brigar comigo por ter me esquecido de colocar o cinto de segurança, erro esse que corrigi no mesmo instante, sem questionar, apesar de detestar seu tom autoritário. Talvez, esse seja um ponto de colisão entre nós.

Nossa viagem foi silenciosa em seu moderno *Jeep*, mirei a janela durante todo o percurso me lembrando da minha infância tranquila na Tijuca. Ao me deparar com a orla da Zona Sul, percebi que nem mesmo sei onde ele mora e já estou a caminho de mala, cuia e bebê na barriga.

— No que está pensando, Safira? — A voz máscula soa profunda e retribuo seu olhar através do espelho interno do carro, será que ele me encarou por todo esse tempo?

— Nada demais — respondo. — Apenas o quanto estou realmente insana. Aceitei vir morar com você por um tempo e nem mesmo sei em qual bairro mora. Aliás, não sei nada da sua vida além do fato de que você me engravidou. Isso não é estranho?

— Moro no Aterro do Flamengo, escolhi lá por ser perto do trabalho, em dez minutos estou no centro do Rio — diz, enquanto para no sinal vermelho e me olha profundamente. — Você vai ter tempo para me conhecer e talvez nem goste disso, e não tem nada de estranho em seguir o que a sua intuição lhe pede.

— Hum, papai costuma ir a um bloco de carnaval no Aterro, um que só toca música dos Beatles.

— Excelente gosto musical *tinha* seu pai. — A forma como ele diz no passado não me passa despercebida, enrijeço a postura e volto a focar na janela.

— Ele é a pessoa mais incrível do mundo. Ou melhor, era.

— As pessoas que amamos vão sempre continuar vivas dentro de nós.

— É isso que sente em relação a sua esposa? Por isso ainda tem a aliança no dedo? — Giro a cabeça em sua direção e ele mantém a sua atenção à frente, colocando o carro em movimento.

— Eu não costumo usar aliança. Apenas senti vontade de usá-la hoje, só isso. — Antes que eu faça mais perguntas, ele muda radicalmente o assunto: — Se a médica liberar, podemos caminhar na orla, eu corro lá todos os dias às seis da manhã.

— Não é cedo demais? — Mordo os lábios e quase perco a linha de raciocínio quando seu olhar azul vitral se prende ao meu através do espelho interno do automóvel, a ruga em sua testa fazendo com que pareça bravo o deixa ainda mais atraente.

— Humanos e animais precisam do sol da manhã, Safira, para manter o ciclo circadiano em um bom ritmo...

— Não me diga que você é um desses naturebas? — eu o interrompo.

— Totalmente — responde formando um pequeno bico em sua boca carnuda.

Já percebi que essa é uma mania que possui, talvez seja imperceptível, se eu não estivesse tão ligada nele.

— Por favor, diz que na sua casa se come pizza?

Coloco a mão no peito e finjo uma careta de dor, acrescentando drama à minha atuação, e ele dá um meio-sorriso que me derrete.

— Sei fazer uma pizza incrível, de massa integral, com ingredientes naturais, sem agrotóxicos e farinha branca e...

— Pare o carro. Quero voltar, Maurice — implico, cortando-o.

— Tarde demais — ele diz assim que seu carro para em frente ao portão do condomínio de prédios, os tons de madeira e preto e as largas varandas denunciam que se trata de apartamentos únicos em seus andares, e de alto luxo.

Inspiro profundamente, sentindo o corpo se agitar em ansiedade. Agora soa real, vamos morar juntos, e não sei o que posso esperar desta experiência, afinal de contas, não nos conhecemos.

Parando para pensar agora, friamente, eu não devia ter aceitado. Ele deve ter me convidado por mera educação, fui uma tola.

Antes que eu possa me dar conta do meu equívoco em aceitar esse convite, tenho o pai do meu bebê estacionando o carro em frente à portaria e baixando o vidro do carro. Um par de olhos negros tem o foco nele e em seguida em mim. Percebo que o homem de pele escura quase tem os lábios entreabertos de tanta surpresa ao ver uma mulher no banco do carona, pois, não me passou despercebido o olhar esbugalhado que me lançou quando o vidro abaixou.

— Boa tarde, senhor Tozzini — gagueja o homem uniformizado, ajeitando a postura.

— Boa tarde, Gilberto! Preciso que cadastre Safira de Castro — Maurice aponta para mim com os olhos. — Como moradora da minha unidade.

— Sim, senhor. — O porteiro vira uma pequena câmera para meu rosto e dou um singelo sorriso. — Está feito.

Está feito.

CAPÍTULO 6

Safira

Do Jeito Dele

Maurice novamente abriu a porta do carro assim que estacionamos em sua vaga, e empurrou minha grande mala durante todo o trajeto. Seguimos em silêncio pelo elevador, e apenas soltei um "uau" assim que entrei em seu apartamento.

Afinal de contas, não esperava que o *habitat* de um homem sozinho soasse tão bem cuidado e bem pensado nos detalhes. No entanto, ele mantém até mesmo plantas bem dispostas por quase toda a parte.

O verde das folhagens contrastando com os móveis de estilo industrial dá um ar de conforto à decoração. O apartamento parece muito espaçoso e arejado por conta do conceito aberto que integra a cozinha e a sala.

Gosto da enorme janela acima da pia da cozinha que dá luminosidade a grande parte do cômodo junto da sala e que nos brinda com um céu limpo e arrebatador.

— Você tem muito bom gosto — elogio enquanto ele tranca a porta às minhas costas.

— Otto Negromonte discordaria de você. Meu primo não aprova esse tanto de planta na minha casa, diz que mais parece uma selva. — Sorrio. — Mas, em minha defesa, ele é um hipócrita, afinal seu quintal mais parece um cemitério com tanta mata.

— Pois eu gostei de cada detalhe que vi até agora — confesso.

— Agora que você vai morar aqui, preciso te contar meu maior segredo. — Ele se aproxima e baixa a voz para sussurrar ao meu ouvido: — Eu amo cuidar de plantas. — Acabo rindo. — Vamos lá, pode me julgar.

— Vou manter seu segredo a salvo, afinal, preciso desse teto. Pode ficar tranquilo, não será da minha boca que as pessoas saberão que você é pai de planta — brinco e ele sorri.

Na verdade, é um leve repuxar de lábios, sem desfazer seu olhar penetrante, mas o suficiente para causar leveza entre nós.

Molho os lábios ficando tímida com a sua atenção sobre mim, sentindo necessidade de tocá-lo, sobreponho minha mão a sua tentando pegar a minha mala, mas assim que vejo nossos dedos entrelaçados meu coração acelera. Dou um passo em sua direção inalando seu perfume e me lembrando do desconhecido quente do meu sonho. É o mesmo cheiro.

Em um rompante, ele puxa a mala deixando claro que a carregará. Nossas mãos se afastam e em dois passos para trás ele está distante de mim.

— Eu tenho três quartos aqui, sendo dois de hóspedes. Pensei em você ficar com o quarto que possui um *closet* um pouco maior, mas pelo que vi na sua casa, acho que você vai usar o *closet* dos dois quartos de hóspedes — diz, caminhando em direção ao corredor.

— E não se espante se tiver coisas minhas no seu *closet* também — caçoo e ele coça a cabeça, pensativo, então me apresso em consertar: — Relaxa! Estou brincando, eu me ajeito como der. — Esclareço, até porque acredito que não vou ficar aqui por muito tempo. — Novamente, obrigada pelo convite, Maurice.

— Não precisa agradecer. Deixe uma lista para que minha funcionária compre no mercado coisas que você gosta de comer e usar.

Movo os pés em sua direção, indo para o corredor, decido implicar mais um pouco com ele, que, por vezes, se mostra divertido ao meu redor.

— E se eu só gostar de enlatados e industrializados? — Atiro as palavras e consigo sua total atenção, Maurice se vira para mim com olhos semicerrados.

— Não, esqueça a lista então. — Sorrio, eu gosto dessa sua faceta mais espirituosa. — Venha, vou te mostrar o restante do apartamento.

Anoto mentalmente cada canto que me é apresentado, desde as portas no canto da cozinha que dão para a despensa, a outra porta que dá para um quartinho de serviço, até os quartos de hóspedes. Mas um fato peculiar me desperta a atenção de imediato, Maurice esclarece que seu quarto é o de frente para o meu.

— Aqui, além do meu quarto, uso para *home office* quando necessário. Portanto, se o apartamento não estiver pegando fogo, não entre.

Escondo um sorriso. Como ele é mandão!

— Certo, então digo o mesmo sobre o meu quarto.

— Às vezes, a minha mãe vem passar uns dias aqui e ela acaba ocupando o quarto vago — diz, carregando minha mala para o cômodo sem muita personalidade, mas com muito potencial, onde vou ficar. — Minha funcionária vai arrumar suas coisas, agora vamos comer algo. O que acha?

Deixo fugir um bocejo que estava segurando há certo tempo, os olhos estão pesados e o corpo amolecido. Necessito de um descanso, a ideia soa agradável demais.

— Quero tirar um cochilo. De repente me bateu um cansaço, não costumo dormir durante o dia assim. Quer dizer, não costumava.

— Deve ser a gravidez.

— É, deve. — Olho para o chão, pensativa, ainda esqueço que estou grávida.

— Precisamos marcar uma consulta para ver como está o bebê.

— Sim, vou cuidar disso, não se preocupe. — Mudo o assunto.

Não quero pensar a respeito dessa criança agora, tenho muito para lidar em minha cabeça, principalmente com o fato de ter um médico analisando minhas partes íntimas intocadas, ao menos em minha mente.

— Vai se ajeitando, vou lhe trazer um sanduíche antes que durma.

— Não quero.

— Safira, é importante não pular as refeições. Você precisa se alimentar bem para melhorar a qualidade de vida.

— Que seja! — Respiro fundo, não querendo entrar em um embate com ele, ao menos não neste primeiro momento, e sentindo tanto sono.

Já sozinha na suíte, retiro uma camisola leve da mala, e tomo um banho rápido, lavando meu cabelo e, sentindo-me limpa, com o corpo úmido, coloco a roupa confortável que gruda ao meu corpo revelando algumas partes devido a transparência da renda e à pele meio molhada. Secando o cabelo com a toalha a grosso modo, regresso para o quarto em busca do meu roupão para ir buscar o tal sanduíche.

Para a minha completa surpresa, dou de cara com Maurice segurando uma bandeja. Nela há pão integral, que não parece nem um pouco palatável, e suco de laranja.

Assusto-me com seu olhar checando cada parte do meu corpo e, de forma surpreendente, eu gosto de obter a sua atenção; ver que não é tão indiferente a mim, quanto achei que fosse.

Tudo bem que não fiz de propósito. Afinal, eu não esperava que ele voltasse aqui já que deixamos claro que nossos quartos são territórios proibidos.

— Venha comer — ele diz entredentes, o rosto se mantém impassível.

— Obrigada, você é muito gentil — provoco.

Caminho até ele retirando a bandeja de suas mãos e lhe dando as costas, conforme coloco o item de madeira na mesa de cabeceira, meu bumbum esbarra em sua coxa. Penso ter ouvido um rosnado, mas se de fato aconteceu, foi baixo demais.

Ele se mantém paralisado, e eu sinto o seu olhar queimar minhas costas, será que ele consegue ver através da camisola que estou sem nada por baixo?

Decido provocar, viro para ele e coloco a mão em sua coxa acariciando levemente.

— Desculpa, molhei você — falo com uma ingenuidade calculada, e seguro um sorriso vitorioso quando seus olhos se direcionam a minha mão o tocando.

— Certas coisas nunca mudam — ele diz baixinho e o encaro, trancamos nossos olhares.

— Do que está falando?

— Nada, apenas pensei alto. — Dá um passo para trás, e me dá as costas coçando o queixo. — Hoje vou deixá-la descansar, estarei trabalhando em meu quarto, mas amanhã esteja pronta às cinco e meia da manhã.

— Para quê?

— Caminhada, vamos comer um pré-treino e caminhar pela orla. Você precisa se exercitar e pegar sol. Em seguida tem sua terapia, já está marcada, duas vezes na semana.
— Uau! Você realmente tem tudo calculado. Em algum momento cogitou a ideia de me perguntar se estou de acordo?
— Pare de me provocar e coma!
Sinto-me confrontada e caminho até ele, que não se intimida quando ergo meu queixo, por mais que os seus olhos fujam para os meus seios vez ou outra.
— Existe alguma possibilidade que eu negue caminhar, acordar cedo, ir pra terapia?
— Façamos o seguinte, você me dá duas semanas fazendo tudo do meu jeito. Se não funcionar para você, então conversamos novamente — o canalha diz isso olhando para os meus seios, levo minha mão ao seu queixo e o erguido, obrigando-o a sustentar meu olhar.
— Você tem apenas duas semanas, Maurice.
— Então farei delas as melhores duas semanas, Safira.

CAPÍTULO 7

Safira

A Rotina

Não quis dar a Maurice motivos para reclamar. Acordei no horário planejado e já estou com uma *legging* cor-de-rosa e um top cinza. Coloquei óculos escuros e boné para não ser reconhecida na rua, além do cabelo ruivo preso em um rabo de cavalo para não chamar tanto a atenção.

Pego-me reparando nos seios bonitos preenchendo o top, eu realmente amo esse silicone e a autoestima elevada que ele me faz sentir. Ponto para a Safira do futuro.

— Bom dia!

A saudação dele como sempre não me entrega absolutamente nada sobre seu humor ou pensamentos, pego-me retribuindo cordialmente enquanto me sento à mesa.

Sua funcionária me serve um *smoothie* roxinho, assim que dou o primeiro gole me delicio com o sabor marcante de frutas refrescantes. É na medida o gosto do morango e saboreio cada gole que dou na bebida cremosa.

— Você gostou. — A afirmação de Maurice me pega desprevenida, percebendo que ele manteve os olhos em mim durante todo o tempo em que sentei à mesa.

— Sim, é muito bom, e deixa a barriga estufada — confesso, sentindo-me saciada a cada gole, não conseguindo sequer cogitar a ideia de comer esse pão integral de cor lastimável.

— Pegue na geladeira a garrafa térmica de água, vou colocar o tênis e já sairemos.

— Sim, senhor mandão. — Reviro os olhos, mas ele me ignora, vejo de relance a funcionária sorrir. — Como você aguenta?

— Sou paga para isso — responde, brincalhona, mas se aproxima de mim, dando-me a garrafa cor-de-rosa. — Brincadeiras à parte, o senhor Tozzini só é assim com você. — Pego a garrafa de suas mãos e sorrio para ela. — Eu me chamo Antonela. Para o que precisar, pode me chamar, senhora.
— Não me chame de senhora, apenas Safira.
— Está certo. Boa caminhada, Safira — deseja olhando para além de mim, onde Maurice surge com uma blusa térmica azul-turquesa, fazendo com que seus olhos tenham ainda mais destaque. Não consigo conter os meus e os desço, checando a bermuda preta e o tênis cinza. Ele ajeita o cabelo úmido e a sua loção pós-banho mexe com meus sentidos, a vontade é de levá-lo para o quarto e passar o dia inalando seu cheiro refrescante.

O olhar tempestuoso me estuda como sempre, descendo pelo meu corpo e não me entregando uma reação, mas, assim como ontem, ele demora o olhar em meus seios.

Será que aprova o silicone tanto quanto eu?

Quando começa a caminhar, Maurice não precisa dizer nada, apenas o sigo para fora do apartamento, obediente e submissa, porque existe algum ímã escondido neste homem que me faz entender de alguma forma que preciso me manter agarrada a ele.

Nos arredores do condomínio alguns funcionários do prédio o cumprimentam e ele, apesar de impassível, sempre é cordial com as pessoas, mas sem muito envolvimento.

Maurice me deixa na dúvida se de fato odeia pessoas, pela forma brusca que lidou com todos no hospital ou se preza pela simpatia. Gostaria de lhe fazer diversas perguntas, mas sei que ele não estaria disposto a responder nenhuma delas.

Pego os meus fones de ouvido e em meu celular coloco uma *playlist* animada, música eletrônica nas alturas, enquanto Maurice caminha apressado à minha frente.

Reparo na vista ao redor e gosto de ver o céu assim alaranjado nessas primeiras horas do dia. É algo que nunca tive o hábito de apreciar, já que sempre acordei tarde.

O mar parece agitado hoje, mas isso não impede os surfistas de pularem para dentro. Sorrio vendo um correndo pela areia, será que algum dia eu conseguiria condicionamento físico para tal façanha?

Permito que o cheiro da maresia encha os meus pulmões e gosto de ver a área vasta e esverdeada do aterro.

Maurice logo começa a correr, deixando-me só. Mantenho-me caminhando, observando tudo ao meu redor, sentindo o vento em meu rosto e o sol tocando a pele. Apesar do sono incomum que sinto, é incrível caminhar com tantos estímulos.

Em determinado momento eu paro, retiro um pouco o boné para tomar sol no rosto, e chama minha atenção um grupo de mulheres cochichando enquanto olham para o pai do meu bebê, cobiçando-o. Não gosto da minha reação a isso, afinal de contas ele não é meu, ainda assim me pego bufando quando passo por elas, até porque são jovens, bonitas e não terão uma grande barriga e corpo inchado daqui a pouco tempo.

Sigo meu caminho passando por Maurice, que está parado tomando fôlego, sua mão toca em meu braço, fazendo-me parar. Estou perdidamente irritada, talvez com as mulheres, talvez com ele, talvez comigo.

— Está gostando? — pergunta e o ignoro, continuando a caminhar.

Sou seguida pelo homem que não entende a dica de me deixar só com os meus sentimentos que não sei administrar, cantarolo a música que toca em meu celular e ele parece desistir de puxar conversa.

Um ambulante vendendo coco para próximo a nós, sorridente encarando Maurice que lhe diz algo, pauso a música para dar atenção à interação dos dois.

— Bom dia, senhor Tozzini! O de sempre?

— Hoje eu quero em dose dupla, tenho companhia — diz apontando para mim com o queixo.

— Está certo. Excelente companhia, senhor. — O ambulante galanteia e em seguida tira dois cocos, abrindo-os e nos servindo enquanto Maurice tira a carteira da bermuda para pagá-lo.

— Obrigada!

Beberico da água, sinto-a adocicada e bem gelada. Quando vou elogiar, uma mulher passa por nós pedindo também sua água, então reparo que ela possui um bebê a tiracolo. Isso me dá um frio na barriga, porque não consigo me ver assim, caminhando calmamente com um bebê nos braços, não faço ideia de como cuidar de uma criança, a percepção em si me apavora.

Caminho para frente me desvencilhando das pessoas que passam, tento respirar fundo, um pouco atormentada imaginando o quão ruim posso ser como mãe para essa criança.

— No que está pensando? — Maurice diz, tocando em meu ombro, tirando-me do transe.

— Nada, apenas me dando conta de que em breve vou ter uma criança, como aquela mulher.

— Você ainda vai ter bastante tempo até que tenha uma criança daquele tamanho, e se acostumará com a ideia até que de fato aconteça, Safira.

— Será? Às vezes tenho medo de perceber tarde demais que não tenho vocação ou jeito para a maternidade.

— Caso isso aconteça, você me dá o bebê e eu o crio. Não fique se martirizando com isso. — A simples ideia de dar meu bebê para ele ou para qualquer pessoa me causa repulsa, eu nunca faria isso, carrego essa certeza. — Converse sobre esse pensamento com sua psicóloga, talvez seja um bom ponto de partida.

— Você tem razão.

— Vamos voltar para casa.

— Tudo bem, senhor mandão. — Reviro os olhos. — Vá à frente, seu fã clube ficará desapontado caso o veja acompanhado — implico, apontando com o queixo para as mulheres que lhe dão um aceno de cabeça assim que Maurice as pega olhando para ele despretensiosamente.

— Ciúmes, Safira?

— De você?! Não, apenas me certificando de que arrume uma boa madrasta para meu filho.

— No que depender de mim, ele não terá madrasta — fala com uma careta.

— Sei! Da minha parte, sim, pretendo lhe dar padrastos. Sou jovem demais para me fechar para isso — confesso o empurrando e ele imediatamente franze o cenho.

— Safira, eu não quero estranhos convivendo com meu filho.

— Aí é problema seu, senhor mandão. Vamos para casa.

Saio na sua frente e o ouço bufar.

— Você sabe os perigos de colocar um estranho na vida do seu filho? O mundo não é mais o mesmo de quando você tinha dezoito anos, Safira.

Sua irritação é latente, eu não imaginava que esse tema renderia tanto, só queria provocá-lo.

— Sério, Maurice, pode ir à frente. Não quero quebrar seu ritmo, eu ando muito devagar. — Tento me afastar, mas ele continua ao meu lado.
— Então andaremos devagar, juntos.
— Ordens, ordens e mais ordens... Tudo bem, Maurice! — Faço um biquinho, mas decido retroceder um pouco. — No que está pensando, Maurice?
— Se você está ansiosa para a consulta com a psicóloga — mente, e só pelo tom áspero que usa percebo que ainda está irritado.
Decido não empurrar mais, usarei essa arma no momento certo, e ele tem me dado muitas munições.
— Na verdade, não estou ansiosa — confesso — É difícil falar sobre sentimentos que nem mesmo consigo desmitificar.
— Tenho certeza de que você vai se encontrar, Safira.
— Eu queria ter essa certeza também, Maurice. — Olho para ele e suspiro. — Eu gostei do passeio. Foi gostoso pegar esse solzinho, andar admirando essa vista, tomar água de coco.
— Que bom, pois, faremos isso todos os dias?
— Até nos dias de chuva? — implico recebendo um olhar semicerrado.
— Você está torcendo para que chova?
— Não, imagina... — Deixo-me soar irônica e ele dá um meio-sorriso. — Espero que esse bebê puxe seu ânimo para esportes — digo quase como uma reclamação, enquanto sinto o corpo começar a reclamar pela falta da minha cama.

No almoço, já estou caindo de sono, afinal, após nossa caminhada, precisei me arrumar, comer um sanduíche e ir para a terapia. O motorista de Maurice me levou e buscou, enquanto ele precisou sair a trabalho. Já que não o esperava para o almoço, decidi ficar à vontade, coloquei um pijaminha curto e levinho que ganhei de presente de debutante de uma tia querida, já falecida. Hoje, o short deixa a maior parte da minha bunda de fora e a blusa deixa metade da minha barriga aparente, mas não consigo me desfazer pelo apego.
A funcionária de Maurice foi tirar seu horário de almoço, mas antes deixou a mesa posta para mim, com um único prato. E

olhando o quão colorida é a comida sinto a barriga doer de fome.

Sirvo-me da salada de grão de bico, coloco no prato um generoso pedaço de filé de tilápia e me pego salivando pelo cheiro do molho de maracujá.

Coloco um punhado do meu cabelo molhado para trás da orelha. Depois de chegar tensa e pensativa da sessão de terapia o banho quente que tomei me relaxou, só não dormi de pronto porque senti a barriga reclamar de fome, provavelmente devido à gravidez, pois a vida inteira eu lidei com jejuns prolongados. Ultimamente mal consigo tolerar três horas sem nada na barriga.

Assim que começo a juntar a comida no garfo, a porta é aberta. Fico constrangida ao ver Maurice entrar em seu terno tradicional contrastando com minha quase nudez.

Que constrangedor!

— Boa tarde! — diz olhando para o celular.

Caminha direto para a pia da cozinha onde lava as mãos e decido ficar quieta, torcendo para que assim ele ignore os meus trajes, ou a falta deles.

Começo a comer, mas sinto o seu olhar serpentear pelo meu corpo. Evito encará-lo e foco na comida em meu prato, mas quando se senta, ele insiste em uma interação.

— Como foi na psicóloga? — pergunta com a voz em um tom rouco. Apenas aceno positivamente, tentando mastigar depressa para sair dessa situação incômoda. — Coma devagar, Safira! — repreende. — Você precisa ter atenção a cada um dos sabores que está comendo.

— É estranho você dizer isso — comento e ele ergue as sobrancelhas.

— Por quê?

— Porque a doutora Alice me passou um exercício como esse. Quando estiver na rua, devo reparar nas casas, em suas cores e texturas, quando estiver à mesa devo tentar desvendar cada tempero que foi usado na hora de fazer a comida...

— Interessante, porque não o faz agora? Diga-me, o que acha que levou essa salada de grão de bico?

— Não, eu não vou falar.

— Anda, Safira. Você me deu duas semanas do meu jeito, lembra?

Irritada, respiro fundo.

Sentindo que esta é uma batalha perdida, fecho os meus olhos e dou uma garfada na salada.
— Tomate, pimentão, também tem pedaços de cebola, bastante azeite e talvez uma pitada de limão.
— Isso foi bom.
— E você, diga-me como foi o trabalho?
— O de sempre, caótico. — Sorri sem humor. — Mas, está tudo sob controle. O que pretende fazer à tarde?
— Neste momento, só penso em dormir, estou sentindo os olhos fecharem sozinhos.
— Antes, coma mais e preste atenção aos sabores do resto que está em seu prato — diz e rolo os olhos, pelo visto esse almoço vai demorar mais do que devia.

Após um cochilo que durou quase toda a tarde, decidi ver alguns dos meus primeiros vídeos publicados. E está tudo lá, a timidez, o sorriso contido, o jeito ainda de menina, a imaturidade e até um toque de ingenuidade da juventude, as inseguranças pela pouca idade, de quem não sabe o que esperar da vida.

Conforme vou assistindo se torna nítido meu amadurecimento, a voz vai mudando, o jeito mais despojado, a tranquilidade de quem ama o que está fazendo.

Lembro-me de alguns flashes do dia específico em que gravei determinados vídeos, como apoiar o celular nas maquiagens, já que não tinha tripé, usar a luz da luminária em meu rosto para melhorar a iluminação na hora de gravar as maquiagens.

Emociono-me quando meu pai aparece em um dos meus vídeos intitulados como "quem sabe mais" em que ele e a minha mãe respondem perguntas sobre os meus gostos pessoais.

Sorrio de doer a barriga vendo a família divertida que éramos, neste momento mamãe dá uma *tortada* na cara de papai porque ele errou qual é o meu livro favorito, e ele fez caras e bocas assim que tem o rosto encharcado de chantilly. Como sinto falta disso!

Queria que meu bebê tivesse esse tipo de criação, não algo tão frio e distante como Maurice e eu, mas, infelizmente, querer não é poder.

O barulho do liquidificador ressoa da cozinha e decido dar um tempo na minha volta ao passado. Caminho pelo apartamento com passos incertos e vejo Maurice sem camisa batendo um *milkshake* no eletroportátil.

Ofegante, ele se vira para mim e vejo o suor exalar em sua pele. Sinto a boca encher de vontade, as mãos formigarem necessitadas de tocá-lo.

— Malhando?

— Acabo de chegar da aula de *Muay Thai*. Precisa de algo?

— Não, tudo certo.

— Você pretende mesmo passar todo o dia com esse pijama?

— Desculpa, esqueci de colocar o robe — falo, desconcertada.

Seus olhos pousam em meus seios, que estão com os mamilos apontando diretamente para ele, que acelera o ritmo da respiração, o que me faz corar. Quando se aproxima de mim, ele mantém a mão no queixo me avaliando, seu olhar azul profundo demais se demorando em mim.

— Eu quero que fique à vontade aqui, mas eu fico... *incomodado* com você andando praticamente nua dentro de casa.

A ênfase na palavra "incomodado" não me passa despercebida. Afinal, o que ele sente por mim? Decido implicar.

— Em primeiro lugar, você está com o peitoral de fora. E em segundo lugar, achei que você me visse como uma irmãzinha.

— Sei que você não se lembra, mas eu recordo de cada detalhe que nós fodemos um dia, então, não, eu não a vejo como uma irmãzinha.

— Por que não me conta de cada detalhe do dia em que... nos conhecemos? — Atiro as palavras e ele arregala os olhos.

— Por que quer saber dessas coisas?

— Porque talvez eu esteja... — Olho para seu peitoral nu, demorando mais tempo do que pretendia e em seguida o encaro. — Interessada em você.

— Você não está. A Safira do futuro, como você nomeia, não estaria.

— A Safira do futuro fez um filho com você. Se isso não é interesse, não sei mais o que pode ser.

Suas mãos agarram meu cabelo da nuca e ele cheira meu pescoço, reviro meus olhos e solto um gemido.

— Você só está com os hormônios à flor da pele, preciso ter isso em mente — diz, talvez mais para si do que para mim.

— Maurice, eu não me lembro de como é estar com um homem. Não lembro como é ser tocada — confesso, envergonhada.

— Eu sei, Safira, eu sei. Por isso preciso me afastar.

— Ou me fazer ter novas lembranças.

CAPÍTULO 8

Maurice

O Cuidado

— Me acalmar?! Estamos expandindo o escritório e você tem estado mais ausente do que tudo — diz meu sócio.

— Otto[2], deixe de ser hipócrita. Você também anda ausente desde que está com a Bela — acuso e o meu primo aponta o indicador de sua mão tatuada para mim.

— Diga o que está acontecendo, Maurice, porque... Porra! Estou a um palmo de esquecer que você é minha família e mandar você se foder.

— Eu vou falar, não porque eu tenha medo de você, mas porque estou a ponto de explodir — confesso e ele se senta em frente à minha mesa.

— Lembra da noite em que você saiu no jornal apertando a bunda da Bela? — Ele resmunga positivamente de má vontade. — Eu te contei que bebi demais e acabei transando com uma garota, liguei pra ela depois perguntando se estava limpa, porque na empolgação não usei camisinha. Ela me xingou e desligou na minha cara.

— Isso eu lembro, você comentou vagamente.

— O destino, como uma grande cadela, decidiu virar minha vida do avesso.

— Do que está falando, Maurice?

— Essa semana a garota apareceu aqui no meu escritório dizendo que está grávida, que não queria que eu participasse

---

[2] Protagonista do livro: Seduzida pela Fera

da vida da criança. Queria apenas que a registrasse para que não nasça sem nome de pai.

— Filha da puta! — O xingamento sai sem remorso, afinal de contas o meu primo não possui qualquer pudor.

— Mas não acaba por aí, Otto.

— Maurice, o que pode ser pior do que uma mãe megera *pro* seu bebê?!

— Você lembra como foi que Liliana morreu?

Otto era um grande amigo da minha esposa, sabia o quanto fomos felizes juntos e o quão fundo eu fui quando a perdi.

— Como posso esquecer?! Ela convulsionou nos seus braços, foi embora em um infarto fulminante, tão jovem. — Seu olhar perdido me dá o tempo que preciso para recuperar o fôlego, esse assunto me desestabiliza.

— Pois bem, Otto, depois de me dizer todos os tipos de desaforos possíveis, a mãe do meu bebê teve uma convulsão, exatamente aí, onde você está sentando — digo e no mesmo instante ele se levanta, como se a cadeira fosse amaldiçoada.

Lembrar da Safira naquele estado faz a saliva descer difícil em minha garganta. Eu olhei para ela naquele estado e vi Liliana, olhei para ela e vi meu bebê indo embora junto dela, olhei para ela e a vi, desesperada, e só eu podia salvá-la. Mas, como eu poderia se não fui capaz de salvar a mulher que mais amei na vida?!

— Maurice, é sério?! E como está a garota? — Otto é o responsável por me trazer à realidade.

— Está bem, foram apenas dez segundos de convulsão e ela mantinha os olhos abertos, perdidos. Depois a médica me disse que isso foi bom para Safira, mas ela voltou totalmente desorientada.

— O que está dizendo?

— Eu a levei para o hospital e lá a diagnosticaram com amnésia dissociativa.

— Maurice, quanta desgraça!

— Ela perdeu temporariamente os últimos sete anos de vida, acredita ainda ser virgem, mesmo carregando meu bebê.

— Por isso você tem se ausentado, então...

— Ela está no meu apartamento, a equipe médica recomenda que tenha alguém próximo cuidando dela e de seus avanços, mas não possuo ninguém além de mim.

— Que merda! — Ele se levanta, encarando-me. — Você fez o certo em levá-la, fez o certo.

Recosto em minha cadeira e deixo sair um suspiro longo.

— Ela está me enlouquecendo, Otto. — Jogo as palavras e meu primo as entende no mesmo instante.

— Maurice... — A repreensão em sua voz me faz encará-lo.

— É sério! Anda seminua pela casa, me diz coisas...

Lembro-me de Safira me pedindo novas lembranças, a forma descontrolada como me excitei. Saí praticamente correndo, abandonando-a sozinha na cozinha. Fugi dela hoje de manhã, saindo de casa praticamente nas pontas dos pés, porque o tesão que sinto por ela me assusta.

— Porra! Eu estou enlouquecendo.

— Mantenha seu pau dentro das calças, a garota não está no juízo perfeito.

— Eu sei! Eu sei! E, além do mais, ela não é uma mulher que eu poderia foder e seguir adiante. Ela é a mãe do meu filho e está morando no meu apartamento.

— Exatamente, você deve respeito ao menos ao seu filho.

— Não está sendo fácil, Otto.

— Se achar que a demanda é grande, procure algum familiar dela e a jogue lá. Melhor do que fazer merda.

— Eu pretendo aproximá-la da mãe, até mesmo para ajudá-la no tratamento.

— A equipe vai segurar as pontas como der, mas desembola sua vida, Maurice.

Concordo, mesmo sabendo que não vai ser tão fácil assim.

— Como Safira passou o dia? — pergunto a minha funcionária.

Ela está ciente de que, além das suas atividades normais, precisa ficar atenta a Safira na minha ausência.

— Aparentemente bem. Caminhou pela manhã, comeu nos horários certos e está há horas presa no quarto. Bisbilhotei por detrás da porta e está revendo os primeiros vídeos do canal dela.

— Ótimo.

Como se sentisse o meu cheiro, ela aparece, despretensiosa nos desejando "boa tarde", indo em direção ao purificador de água e enchendo sua garrafa cor-de-rosa, mas mantenho os meus olhos inteiramente pregados nela.

O sorriso que me lançou balançou algo dentro de mim. Os lábios carnudos estavam vermelhos como sangue, olhos verdes demarcados e um vestido curto delineava seu corpo magro, deixando pouco para a imaginação. No meu caso, eu nem precisava já que senti o quão quente ela pode ser.

Mentalmente eu tirava cada peça do seu corpo, precisei frear o impulso de lamber minha própria boca quando seu gosto veio à minha lembrança. É um martírio conviver com a garota sabendo o quão delicioso foi tê-la ao redor do meu pau, tomando tudo para si.

No entanto, seu olhar inocente não orna com a boca maliciosa que vive provocando meu desejo.

— Gosta do que vê? — provoca-me mesmo em frente à minha funcionária, que dispenso em um aceno de cabeça.

— Linda! — falei sem calcular os riscos, precisei ser honesto.

Ela sorriu amplamente.

— Gravei um novo tutorial de maquiagem, eu me senti super à vontade diante da câmera. Ao pegar o celular, eu surpreendentemente sabia usá-lo.

— A doutora disse que algumas coisas cotidianas realmente você não perderia.

— Não sei quando vou colocá-lo na internet, mas gostei do resultado.

Leva a garrafa aos lábios tomando um gole da água enquanto me encara colando sua bunda arrebitada na minha bancada, ficando a um palmo de distância de mim. O ar entre nós fica denso, sua mão tateia meu colarinho resvalando sua unha grande pelo meu pescoço, e assim a maldita provocadora me faz arrepiar.

— Tenho uma surpresa pra você — falo com a voz soando mais alterada do que calculei.

— Eu amo surpresas.

— Consegui uma folga esse fim de semana. Falei com sua mãe, ela disse que irá nos receber. O que acha?

— Jura?! Eu não poderia querer mais. Obrigada, Maurice!

— Então está feito, separe o que for levar.

Inesperadamente, ela cola seu corpo ao meu e beija a minha bochecha de forma demorada. Instintivamente levo a minha mão à sua cintura a amparando e ela sussurra ao meu ouvido:

— Obrigada.
Fodendo com meu autocontrole.
— Não precisa me agradecer — digo, contido, tentando enumerar todos os motivos que me impem de ceder à sua provocação.
Sentindo uma ereção começando a se armar, decido retroceder deixando meu lado racional falar mais alto que o carnal e opto pela mudança de assunto.
Omito o fato que a ideia de levá-la até a sua mãe foi uma recomendação médica para que Safira encontre pessoas do seu passado, esteja em um lugar que considera seguro para obter avanços na recuperação das memórias.
— Como é sua mãe? Me conte mais sobre ela.
Assim que faço o pedido, percebo a sua mudança de postura, o lado parental imperando, certa nostalgia a tomando.
— Bem, ela é *personal trainer*, muito dedicada, sempre foi. Ela dá, ou melhor, dava aulas em escolas públicas, era concursada. Hoje não sei mais nada a seu respeito.
— Ela sempre te apoiou no seu trabalho?
— Não, ela e papai achavam que era só um passatempo, os dois eram concursados e achavam que eu devia buscar uma segurança financeira, igual a eles, mas assim que comecei a ser procurada por marcas grandes do mercado para fazer campanhas publicitárias eu dei como certo que nunca faria algo diferente na vida...
Ela mantém o olhar perdido e em seguida me encara.
— Você não se lembrava do início da sua carreira, isto é um avanço.
— Eu comecei a lembrar um pouco quando assisti alguns vídeos antigos meus. No início foi agonizante me ver e não conseguir me lembrar de nada, é como se eu nunca tivesse vivido isso, quase um filme de ficção científica, mas após a sessão de hipnose estou começando a lembrar de alguns fragmentos. Às vezes, até o que senti na situação, enfim...
— Isso é excelente, Safira.
— Não é muito, mas é um começo.
Deixo para sorrir quando ela me dá as costas voltando para o quarto, mas estou orgulhoso do seu esforço, por mais que isso me cause dor nos testículos, as famosas *bolas azuis*.

CAPÍTULO 9

Maurice

O Pedido

Durante as quase três horas de viagem de carro, da minha casa até Angra dos Reis, ouvi Safira tagarelar sobre a união que possuía com a mãe. Percebi que estalou os dedos de forma obsessiva, tirou a pele dos lábios enquanto fitava a estrada. Ela está ansiosa por esse reencontro e a mantive conversando comigo para que não entre em colapso.

Quando descemos do carro, ela sorri ao olhar à praia. Aluguei uma lancha para a travessia já que ela confessou que a barca a faz enjoar demais.

Levamos meia hora até descermos no pequeno porto da Vila do Abraão, onde o rapaz que contratei carrega nossas malas de mão, colocando-as em sua bicicleta.

— Eu amo esse lugar, Maurice! Essa energia é única!

— É realmente muito bonito, é a primeira vez que venho. — Olho ao redor analisando a pequena vila repleta de comércios e lindas pousadas. — Sua mãe fez questão que ficássemos na casa de vocês. Vou colocar o endereço no GPS.

— Não precisa, eu sei chegar lá até de olhos fechados.

Passa à frente animada e quando o sol toca o cabelo ruivo ela parece fazer parte do raio de luz, o sorriso não deixa os seus lábios enquanto avalia tudo ao redor e caminha apontando para mim cada canto do lugar e relembrando as suas peraltices.

Levamos menos de dez minutos caminhando até que ela aponte para a casa com uma namoradeira na varanda. A casa de seus pais é singela, toda em madeira por fora, uma varandinha com rede dá de frente para a praia e um pequeno quintal feito de areia dá toda uma simpatia para a construção.

— Mãe! — grita já entrando pela lateral do quintal.

Resta-me pagar o menino a gorjeta por entregar nossas malas e em seguida sair no encalço de Safira.

— Ela desfez a pequena academia que possuía aqui nos fundos, mamãe vivia aqui se exercitando, vou brigar com ela por isso. — Bufa e então abre a porta que dá diretamente pela cozinha.

— Mãe?! — A voz de Safira morre ao olhar para a mulher sentada na cadeira de madeira.

Confesso que me pegou desprevenido o fato de Safira falar sempre de sua mãe como uma mulher ativa que gosta de esportes e encontrá-la em um quadro de obesidade mórbida aparente. O cabelo liso está preso em um coque baixo e em seus braços possuem excessos de pele, assim como em suas pernas, o rosto pálido denuncia a ausência de luz solar e as olheiras profundas de quem aparentemente não está em uma boa fase.

— Me disseram que você está doente. Eu também estou, filha!

— Mãe?! — Safira se joga no chão, ajoelhando-se e acariciando o rosto de sua mãe, secando as suas lágrimas enquanto as dela caem livremente.

— Estou no fundo do poço, mas agora que sei que está grávida eu quero sair. Eu quero viver para ver meu neto nascer, eu quero me sentir viva de novo, Safira.

— Mãe! — Ela abraça a mulher e vejo as duas trocarem algumas lágrimas. — Eu falhei com você, eu te abandonei quando você mais precisou de mim.

— Eu também, filha, deixei a dor do luto sobrepor meu amor por você, mas nós daremos a volta por cima. — O olhar azul como o de Safira me encara. — Este é o seu...

— Pai do meu bebê, é o Maurice.

— Oi, prazer!

— Olá, senhora De Castro, é um prazer conhecê-la.

— Ele é lindo, meu netinho vai ser um anjinho.

— Sim, a Safira do futuro tem bom gosto, não é, mãe?

— Vocês estão juntos há quanto tempo?

— Não estamos juntos, mãe. Apenas vamos ter um bebê.

— Onde posso colocar as malas? — pergunto ciente de que elas precisam de um momento juntas.

— Só temos dois quartos aqui. Se vocês não estão juntos...

— Eu durmo com a senhora e Maurice fica com meu quarto de solteira. Vem, eu te ajudo a se acomodar.
Caminho seguindo Safira para dentro da casa, reparando nos quadros da parede. Neles possuem várias fotos de Safira ainda criança, cabelo loiro com cachinhos e olhos verdes, o que me chama a atenção é que ela sempre possui um batom nos lábios.
— Você sempre vaidosa — comento e ela segue o meu olhar, rindo em seguida.
— Sempre! Até para brincar na rua com os amigos eu tinha de passar batom nos lábios.
Seguimos corredor adentro, duas portas opostas se encaram e Safira me leva para a que está mais perto da sala, chegando ao pequeno e aconchegante quarto.
— O da mamãe é maior, mas esse aqui... — Ela caminha e abre a cortina, que dá diretamente para uma porta de vidro que dá a visão geral da praia e acesso direto a varandinha que paquerei na frente da casa.
— Farei bom proveito dessa rede — confesso.
— Faça mesmo bom proveito, porque deitar nessa rede observando as ondas baterem é o que mais amo nessa casa.
Coloco a minha mala no canto do quarto e penso em me sentar para descansar, mas sou surpreendido com um abraço de Safira agarrando as minhas costelas. Retribuo a abraçando de volta, sentindo seu cheiro doce.
— Obrigada por me trazer e por estar aqui — diz e acaricio seu cabelo.
— Eu prometi cuidar de vocês, eu vou fundo nas minhas promessas — falo enquanto acaricio seu ventre quase imperceptível, lar do meu bebê.
Ela parece gostar da carícia, como uma gata arrasta seu rosto em meu peitoral, e quase sinto vontade de tirar essa regata branca e tocar sua pele, entretanto, eu me contenho.
— Filha!
A mãe dela entra no quarto, mas não nos desvencilhamos, de certa forma os dois entendem que não há nada de errado, mas a mãe dela parece desconcertada e me sinto no dever de me soltar, não quero que ela se sinta desrespeitada em sua própria casa.
— Desculpa interromper...
— A porta está aberta, mãe, não há nada a interromper.

— Vim apenas dizer que há roupas de cama lavadas no guarda-roupa.
— Ótimo! Maurice, fique à vontade, preciso de um banho.

E assim, ambas saem do quarto e as minhas mãos queimam querendo tocá-la, ter mais dela, fazendo-me sentir culpado na sequência por ter esses desejos tão imprudentes.

CAPÍTULO 10

Safira

Os Pensamentos

— Mamãe, a senhora está pensando alto demais — implico assim que saio do banho e a vejo me encarar, sentada em sua cama.
— Você gosta dele. — A afirmação não me pega desprevenida.
Sei que, desde que entrei, ela está nos observando. Mamãe sempre foi observadora.
— Somos uma espécie de amigos que vão criar um filho, quase isso.
— Amigo não olha *pro* outro com a fome que vocês se olham.
— Mamãe... — repreendo, mas acabo rindo.
Ela tem razão, mas não vou admitir.
— Se você está grávida dele, os dois são desimpedidos e se desejam, eu não vejo porque não tentam pelo menos.
— Maurice não tem nem um ano que está viúvo, deve ter seus traumas. E eu, olha pra mim — digo e ela semicerra os olhos.
— Eu olho para você e vejo uma menina linda, saudável, doce, uma mulher feita.
— E sem memória, não adianta ter beleza e nem mesmo saber quem eu sou, não ter a mínima noção de quem me tornei nos últimos anos.
— Filha, um passo de cada vez.
— E a senhora acha, então, que o primeiro passo tem de ser conquistar Maurice?! — zombo.

— Acho que se organizar dá pra tentar se encontrar enquanto conquista Maurice, nessa ordem.
— Você não existe, mãe.

Passamos uma tarde deliciosa comendo peixe frito fresquinho. Mamãe comenta que a mantenho financeiramente, já que após a morte do meu pai ela decidiu sair do trabalho e morar aqui em Ilha Grande. Então ela disse que eu a apoiei e desde então pago todas as suas contas, o que me fez respirar aliviada. A Safira do futuro é ausente, mas ao menos é responsável.

Com o entardecer, mamãe começa a arrumar sua cozinha para o dia seguinte, Maurice procura sinal pelo quintal para falar ao celular e decido sentar na rede para ver o sol se pôr.

Coloco no celular uma playlist que me lembra tudo isso aqui, minha adolescência nesse lugar incrível e quase me sinto emocionada quando o baixo de Charlie Brown Jr. ressoa em meus ouvidos.

Um belo sonho veio então despertar minha vontade.

Sinto o cheiro de Maurice e o vejo se aproximar, sentando ao meu lado na rede e a balançando levemente. Ainda não o encaro, deixo a minha atenção no horizonte e, de repente, as palavras de mamãe, e também do Charlie Brown em *Como Tudo Deve Ser*, fazem muito sentido.

Se eu gosto dele, porque não luto por isso?

Felicidade é poder estar com quem você gosta em algum lugar.

Ao mesmo passo, reflito que me culpei tanto por ser ausente na vida da minha mãe e agora sinto que entendo o que Rose quis me dizer. Eu precisava trabalhar, correr atrás do meu sonho, sustentar minha mãe como seria da vontade do meu pai e não deixar nada lhe faltar. O ônus foi minha ausência, não posso me culpar tanto, tão jovem eu tentei dar conta de tudo, eu falhei, mas até isso foi feito com amor.

Eu lutei pelo o que eu quis.

Maurice segura a minha mão e fecho os olhos profundamente, sendo tomada por tantos sentimentos, que nem mesmo sei enumerar, mas o maior de todos é a felicidade de estar aqui me redescobrindo e ao mesmo tempo vivendo coisas novas.

Vamos viver os nossos sonhos

Absorvo a letra da música e a guardo como um mantra, na adolescência eu a amava por conta do som suave do baixo tocado por Champignon[3], mas hoje a letra faz total sentido.
Viro para Maurice que tem o olhar me perfurando-me, ele é tão lindo. Seguro o impulso de beijá-lo, parece tudo tão romântico agora à luz do pôr do sol.

Foi quando te encontrei, ouvindo o som e olhando o mar.

---

[3] Nome artístico de Luiz Carlos Leão Duarte Júnior. Foi um baixista, Beatboxer e vocalista brasileiro da banda santista Charlie Brown Jr. Foi eleito por três vezes consecutivas o melhor baixista no VMB da MTV Brasil e venceu por duas vezes o prêmio de melhor instrumentista no Prêmio Multishow.

CAPÍTULO 11

Maurice

A Cama Dividida

Safira parece absorta em seus pensamentos, gostaria de estar em sua mente, de perguntar a respeito do que tanto reflete. Há muitos minutos ela está assim, introspectiva, mas decido respeitar seu momento, afinal, a menina tem muito que ajustar.

Ela retira os fones dos ouvidos e sorri para mim, que então olho para a paisagem à nossa frente, fugindo dela.

— Safira, a obstetra consegue um encaixe para te consultar esta semana. O que acha? — digo, afinal precisamos começar o pré-natal, a empresária dela está no meu pé.

— Hum, não sei, vamos ver.

Sua resposta é evasiva e me faz juntar as sobrancelhas, analisando-a, curioso.

— O que você não está me contando? Toda vez que eu falo sobre ir à obstetra, você desconversa. Precisamos ver como está nosso bebê, você precisa iniciar o pré-natal, tomar vitaminas, fazer exames.

— É que...

Levanta-se da rede, pousando os cotovelos no parapeito da varanda, ergo-me e giro seu rosto em direção ao meu, ela fita o chão por um segundo. Quando finalmente olha para mim, percebo que retrocede. Algo a está incomodando, ela é tão transparente quanto a água dessa praia.

— Deixa pra lá.

— O que você está pensando, Safira?! Diga de uma vez.

— Eu não sei como te dizer isso. — Inspiro profundamente, passo a mão no cabelo, tentando manter a calma, quando o ar

sai dos meus pulmões ainda estou fervilhando. — É complicado falar de intimidades com você, Maurice.
Intimidades?!
— Achei que estivesse claro que estou aqui para te ajudar, não tenha pudores comigo.
Arrependo-me no mesmo instante em que as palavras saem da minha boca.
A ruiva dá mais um passo em minha direção, nivelando nossos corpos, e pousa suas mãos no botão da minha camisa, olha-me de forma tão inocente que preciso segurar o impulso de emaranhar as minhas mãos em seu cabelo e tomá-la.
— É que eu não tenho lembranças de como é a penetração — sussurra e o meu coração acelera. — Em minha mente, ainda sou virgem e... Sei lá! Estou muito assustada de imaginar o toque da médica ou um aparelho de transvaginal dentro de mim, sabe?!
Fecho os olhos por um segundo, absorvendo as palavras e entendendo o que implicitamente ela está me pedindo e não posso repreendê-la, afinal de contas, eu pedi por isso, certo?!
Tento selecionar palavras coesas, mas é realmente delicado falar de sexo com ela, porra!
— Eu imagino. — Foi o melhor que consegui. — Mas apesar de não lembrar, você não é mais virgem, então nada disso será dolorido.
— Eu sei, mas é como se eu fosse perder a virgindade assim, eu não sei como é ser tocada lá... em baixo, e vai ser algo técnico. Esquece o assunto, eu não devia ter falado sobre isso com você, Maurice.
— Eu vou desmarcar a médica, vou te dar mais uns dias para se adaptar com a ideia, mas não demore, Safira.
— Tudo bem, quem sabe até lá eu encontre alguém que me dê a experiência completa — diz, dando-me as costas como resposta.
Suas palavras me atingindo como um raio.
— Do que você está falando?
— De transar. — De perfil ela responde, sussurrando e ficando corada em seguida. — Se eu fizer isso, vou ter algo pra me apegar antes da consulta.
— Você está grávida! — falo mais alto do que pretendia e a assusto. — Como pode pensar em se colocar em risco transando com um desconhecido estando grávida?

— E se ele for um conhecido?
— Espera, de quem estamos falando?
— Você! — ela fala, mordendo os lábios, mas em seguida olha para o chão. Estou tão surpreso que devo parecer até mesmo apático. — Esquece isso, Maurice, eu só pensei que... Caramba! Nós fizemos um filho, alguma atração você devia sentir por mim, mas foi um pensamento bobo, você já deixou claro que estava com álcool na cabeça e... Eu não devia ter dito nada. Somos amigos e eu não devia dizer essas coisas, dá licença.

Deixo que ela saia porque a minha cabeça está fritando com esse tanto de informações que não sei o que fazer.

Vou para dentro da casa, e observo a mãe dela tirando cascas de alho, sento-me e a ajudo em sua missão.
— Safira me disse que você é viúvo há pouco tempo.
— Sim, eu sou, daqui a poucos meses completa um ano da morte de Liliana, minha esposa — comento enquanto cada um de nós tem os olhos atentos na cabeça de alho.
— Você parece bem, apesar de tudo. Eu admiro. Estou até hoje tentando lidar com o luto.
— O primeiro mês foi muito difícil, mas eu entendi que precisava seguir em frente, mesmo que seguir em frente fosse só manter minha rotina, pegar o sol da manhã, dormir e acordar nos mesmo horários, me alimentar bem, me mudar da casa que me trazia lembranças demais dela, tornar tudo mais suportável.
— Eu fiz o completo oposto, Maurice.
— Acredito que há o momento certo para tudo, cada um de nós carrega o luto de uma forma.
— E a minha filha?
Enfim paralisamos nossa missão e nos encaramos, ela quer saber das minhas intenções, mas não tenho como responder sobre algo que não tenho a menor noção.
— Ela é um constante desafio, desde quando pus os meus olhos nela na primeira vez eu senti, neste momento, que Safira precisa de cuidados e eu vou protegê-la até de si mesma — confesso e ela sorri, parece gostar da minha resposta.

— Cuide dela enquanto eu me cuido, em breve vou ser a mãe que ela precisa. Só necessito de um tempo, terapia, e enfrentar os meus fantasmas.

— A senhora pode contar que cuidarei dela e do meu filho para sempre, como puder.

Falo a verdade que sinto, afinal, ela vai ser para o resto da vida a mulher que gerou o meu filho, o mínimo que posso fazer é ampará-la.

— Posso? — A voz feminina ressoa da porta do quarto. Apesar do sol durante o dia, agora à noite o tempo esfriou demais, ergo a coberta a convidando para se aproximar. — Mamãe está roncando loucamente hoje, não consigo ouvir meus pensamentos e o sofá da sala é duro demais.

Bocejo enquanto a vejo caminhar com o seu pijama indecente que já entendi ser uma guerra perdida, ela gosta de usar roupas leves, transparentes e que não cobrem nada para dormir.

Safira deita ao meu lado na cama de solteiro e fita o teto, assim como eu. O temor de me mover e fazer algo inapropriado é quase palpável, estamos próximos demais.

— Você está chateado comigo? Pelo que eu sugeri? Eu te achei distante no jantar — comenta.

— Não, eu não estou chateado com você. Só estou pensativo.

Ouço as ondas baterem na areia até que Safira interrompe o silêncio do quarto escuro com iluminação direta apenas da lua que ultrapassa a cortina branca gasta.

— Então, vou utilizar a frase que você mais usa comigo: no que está pensando? — Faz uma voz rouca e dou um sorriso, encarando-a.

Tão linda.

Se eu lhe dissesse tudo o que estou pensando seria a faísca que falta para nos fazer entrar em combustão, ainda mais sabendo que ela deseja transar comigo, é quase demais para suportar. Quero respeitá-la, mas seria hipócrita em negar que também morro de tesão pela garota.

— Que está na hora de dormir, não acha? Amanhã vamos passear de lancha. Cedo. — Aproveito a deixa, vendo-a bocejar.

— Humm... Eu gosto da ideia. — Os olhos verdes vão se fechando lentamente e a observo como algo precioso.
— Então durma, *raio de sol*.

Safira

O barulho me confunde a mente, a penumbra deixa tudo mais sensual, o estranho às minhas costas, depois de muito me acariciar, finalmente leva seus dedos ao meu clitóris e sem controle eu solto um gemido sofrido. Consigo sentir sua respiração acelerada em minha nuca, saber que a minha excitação desestabiliza um homem aparentemente tão poderoso e controlado, mexe em algo dentro de mim.

Rebolo lentamente em seus dedos que circulam vagarosamente meu ponto de prazer e sinto a minha calcinha ser arruinada de tão molhada pela minha excitação.

Delicio-me com toque suave em meu mamilo. Sua mão que estava livre, agora esmaga meu seio, estimulando meu bico na mesma velocidade, lenta e angustiante, que aplica em meu clitóris, e eu quero gritar com ele de tão frustrada e excitada.

— Mais forte, mais rápido, por favor! — imploro e ouço a sua risada, tão provocador.

E então os dedos ganham vida aumentando o ritmo em meu clitóris inchado e não consigo segurar meus gemidos, totalmente insana de tanto tesão. Minha pelve busca por mais dele, rebolando sem controle e o rosnado alto me faz congelar!

— Safira! — É a voz de Maurice.

E então abro os olhos.

Caramba!

Estou ofegante demais, começo a me localizar, com a mão dentro da minha calcinha, tocando-me, com a outra mão acaricio meu mamilo e quando olho para o lado, os olhos azuis estão me encarando. Estou na cama de solteiro com Maurice, próximos demais, o cheiro da minha excitação exalando. Que merda!

Isso não poderia ser mais constrangedor.

Meu primeiro impulso é tirar a mão de dentro da minha calcinha, mas Maurice a segura firme no lugar, seu dedo por cima do meu instiga o sobe e desce no exato ponto de prazer agora pulsante, seguro um gemido e o encaro.

— O que estava sonhando? — pergunta.

— Não sei — minto, mortificada.
— Se esforça um pouco e me conta seu sonho. — Sua voz está mais rouca que o habitual e assim tão perto do meu ouvido, no estado de excitação que estou, ela me faz arrepiar.
— Não, estou envergonhada.
— Por quê? Vergonha por estar excitada? — Aceno positivamente com a cabeça e ele levanta a coberta mostrando a grande ereção marcada pela calça de moletom. — Você não é a única aqui. Agora me conta do sonho.
Com destreza ele se cobre novamente, tirando de mim a visão completa da sua excitação. A suavidade com que ele faz meus dedos subirem e descerem no clitóris inchado faz com que eu feche os olhos, entregue ao desejo.
— Eu não sei, tenho esse sonho desde quando acordei no hospital. É sempre o mesmo sonho, mas ele vai avançando... Estou em um lugar escuro, e tenho um homem às minhas costas, me tocando, dizendo coisas sujas ao pé do ouvido, mas não me lembro do seu rosto, apenas o sinto me tocar e se esfregar em mim.
— Você tem esse sonho muitas vezes? — A pergunta vem ao mesmo tempo em que sua mão livre puxa para ele minha coxa, deixando-me com as pernas completamente abertas.
— Muitas! E acordo nesse estado em todas elas — confesso e ele solta um rosnado sofrido.
Maurice substitui seu dedo em meu clitóris e o sinto tocar diretamente em minha pele sensível. Viro para ele, bem próxima a sua boca, onde deixo escapar um gemido quando ele começa a esfregar minha carne.
— Você diz que quer foder comigo, se toca na minha frente, estou enlouquecendo aqui, Safira.
— Me faz gozar, Maurice — peço fora de mim.
Ele aumenta o ritmo, mordo seu ombro para impedir que os meus gemidos sejam altos demais.
— Porra, Safira! Eu vou te fazer gozar, querida.
— Você disse que ia cuidar de mim. Preciso gozar, você tem de matar meu desejo de grávida.
— Eu mato essa porra de desejo.
Remexo em seu dedo, e tenho o seu olhar preso a mim não perdendo nenhum detalhe enquanto me desfaço, tento não fechar os meus e o encaro, querendo que sinta o quanto o desejo e perceba que desesperadamente o quero. Não demora

até que eu goze, pulsando inteira, e esteja ofegante ao lado dele que lambe os dedos que usou para me tocar.
— Agora, durma! — diz se levantando da cama.
— Onde você vai?
— Tomar um banho gelado, Safira! — A voz soa desgostosa, e eu seguro o riso.
— Eu achei que...
— Não diga mais nada, não ache mais nada. Quando eu voltar aqui, quero vê-la dormindo.
Ele sai da cama parecendo... bravo. E eu escondo uma risada.
Então, eu mexo com Maurice Tozzini. Posso usar essas armas a meu favor.

CAPÍTULO 12

Safira

O Passeio

— Senhorita, seu marido não vai gostar... — O jovem que ontem nos ajudou com as malas reclama assim que começo a ajudá-lo a arrumar a mesa de café da manhã na lancha que Maurice alugou.

— Ele não é meu marido. A propósito, estou solteira — comento despretensiosamente e continuo o ajudando enquanto a minha companhia está ainda no píer.

— Eu imaginei que...

— Pensou errado — corto-o. — Como se chama?

— Jason.

Acho engraçado seu jeito tímido, o homem com a pele marcada, talvez por uma vida inteira de exposição ao sol, fala baixinho demais.

— Nome legal! Você mora aqui há quanto tempo?

— A vida toda, senhorita.

— Não me chame assim, por favor, apenas Safira.

Quando me apresento ele finalmente me encara, ainda envergonhado.

— Está certo. Você vem sempre aqui? — Assim que a pergunta retórica é feita nós dois rimos.

— Essa é velha, hein, Jason?

— Desculpa, estou enferrujado, não é todo dia que vejo uma mulher assim tão bonita e disposta a conversar. — Sorrio gostando do seu jeito e da forma como elogia sem ultrapassar nenhuma linha. — Desculpa te chamar assim, não queria... Bem...

— Você também é lindo, Jason. Obrigada pelo elogio! Eu estava realmente precisando pra dar um levante na autoestima — confesso, lembrando todas às vezes que Maurice fugiu de mim, principalmente ontem, quando lhe disse que queria transar.
— E ele? — Aponta com o queixo para Maurice que, mesmo falando ao celular, tem os olhos pregados em nós dois.
— É complicado, vamos ter um filho. — Acaricio meu ventre que está adornado com uma saída de praia longa de mangas em renda branca. — Mas ele não me quer. Não como mulher, entende? Acho que ele me vê como uma barriga de aluguel, sabe?
— Se eu tivesse um filho com uma mulher bonita como você, estaria louco para conquistá-la.
— Não se iluda, Jason. Eu sou um problema... E dos grandes.
— E quem não é, Safira?! — Sorrio me agarrando a isso, mesmo sabendo que meus problemas ultrapassam a normalidade. — A minha família tem um trailer alugado na Vila do Abraão, vendemos açaí. Se quiser levar esse bebê pra tomar um açaí, será por minha conta.
— Então, o meu bebê tem um encontro? Que injusto! — Brinco e acabamos rindo.
— É aquilo, pra agradar a mãe, primeiro a gente tem de agradar a cria e nada conquista mais uma criança do que doce.
— Você é um cara esperto, Jason! — Rio de doer a barriga. — Qualquer dia, estarei lá. Gostei de você.
— Atrapalho? — A voz de Maurice faz com que Jason aprume a postura e o encare, assumindo a pose profissional enquanto eu ainda continuo rindo.
É estranho que alguém me veja como mãe e ainda assim me corteje, é algo novo.
— Podemos dar a partida, senhor?
— Sim, mas antes vamos até lá em baixo, preciso te dar as coordenadas.
Os dois saem e aproveito o momento a sós para tirar a parte de cima do biquíni. Esse sol da manhã é o ideal, mas não leva cinco minutos até que uma nuvem faça meu corpo esfriar de repente, semicerro os olhos e vejo que se trata de Maurice de pé, encarando-me.
— Você está tapando o sol!

— O menino não vai subir nem tão cedo, mas podemos encontrar alguma embarcação de passeio como a nossa.

— Mamãe disse que preciso pegar sol nos seios, principalmente nos mamilos, para prepará-los para a amamentação. Sou apenas uma grávida, a tripulação não vai ligar pra mim.

— Você é pessoa pública, Safira! Uma foto sua assim deve valer muito!

— Estraga prazeres! — reclamo amarrando a peça branca em conjunto com a saída de praia. — Você não relaxa nunca?

— O que conversava com o menino?

Fico confusa por um instante, até que ele aponte com o queixo para baixo, para onde meu novo amigo desceu.

— Jason?! Nada demais! — Pego o protetor solar e o encaro.

— Pode me ajudar?

Maurice retira a embalagem das minhas mãos e viro de costas para ele, ouço sua respiração ficar irregular, provavelmente deve ter visto o pequeno fio-dental em minha bunda. A Safira do futuro parece gostar de biquínis ousados, não vi nenhum que tapasse ao menos metade do bumbum em seu guarda-roupa. Decidi então me provar usando o biquíni indecente e me senti bem confortável, mas não posso dizer o mesmo de Maurice.

— Você até mesmo sabe o nome dele.

Mostrando que também sabe provocar, ele massageia minhas costas enquanto passa o produto de forma lenta e sedutora, desce sua mão grande para a minha lombar e não reprimo um gemido quando ele apalpa a minha bunda segurando minha carne com firmeza. Sou pura massa de manobra em suas mãos.

— Ele me paquerou. Mesmo sabendo que estou grávida me achou atraente, isso é inusitado.

— Não tem nada de inusitado nisso, você é uma mulher muito atraente, Safira. — Seus dedos delineiam o tecido da minha calcinha fina e gosto de ser tocada. Fecho os olhos e me sinto na cena dos meus sonhos, excitada, sendo tocada por trás por um homem.

— Você nunca disse isso antes. Pensei que não achasse isso de mim.

— Não sou cego — diz colando sua pelve na minha bunda.

Consigo sentir a ereção potente e aperto os dentes em minha boca para reprimir um gemido.
— Está quieta, querida. No que está pensando?
— Nada.
— Mentirosa.
— Maurice... — Arquejo assim que sua língua serpenteia pela minha nuca.
— Diga, no que está pensando.
— No meu sonho.
— Ah! Mas lá era um desconhecido te tocando, aqui sou eu.
— Sim.
— Eu sou tão bom quanto ele? — inquiri baixinho.
— Igual. — Engulo em seco. O tamanho das mãos, a intensidade dos movimentos, a voz sussurrada, o cheiro. — Como posso sonhar com você me tocando antes de te conhecer?
— Por que você já me conhecida.
Desvencilho-me dele e o encaro, confusa.
— Eu comecei a sonhar com isso no hospital, antes de você entrar na sala, como isso pode...?
— Na verdade, seu sonho é uma lembrança, Safira. — Abro os lábios, confusa. — A lembrança do dia em que fizemos nosso bebê.
— Como isso pode...
— Pelo visto, sua mente julgou importante que você não esquecesse esse momento.
— Então, o tempo todo, o homem por trás de mim era você? — Olho para o chão, perdida.
— Sim, querida, antes de ter você eu a toquei, senti cada parte do teu corpo em minhas mãos.
— Eu queria conseguir lembrar mais, lembrar de tudo que aconteceu naquela noite.
— Você está indo bem, e eu posso dar um empurrãozinho...
— Como?
— Em breve você vai saber — diz com um sorriso cínico nos lábios. — Beba água de coco.
— Ordens e mais ordens. Não sei se já te disseram, mas você é bastante mandão.
— Ainda estou no meu prazo de duas semanas, apenas me obedeça, raio de sol.
Sorrio com o apelido.

Começo a beber a água de coco pelo canudinho e ele me encara. Estranhando, indago:
— O que foi?
— Como pode achar que não reparo em você como mulher? O tanto que me afasto é pra não ultrapassar os limites, porque você pode me querer agora, mas a Safira do futuro não me quer. Então, por mais que o meu desejo seja te levar lá pra baixo e foder o dia inteiro com você nesse barco, alguém tem de ter responsabilidade aqui.

A água de coco fica parada em minha boca, nem mesmo consigo respirar.
— Vou até lá embaixo, colocar uma roupa de banho. Coma!

Joga em meu colo o sanduíche que estava na mesa e sai caminhando para longe.

CAPÍTULO 13

Maurice

A Provocação

— Você até mesmo sabe o nome dele — rosno as palavras com desgosto. Desci com o menino e o avisei que não devia mais aparecer sem ser chamado, avisei que ela era proibida e ele apenas assentiu, mas não gostei do seu tom de deboche.

A fim de saber mais da conversa entre os dois, decido abordar Safira para que me conte, então entro no seu jogo de provocação.

Massageio as costas tomadas de pequenas sardas e percebo o quanto sua pele é macia. Passo o protetor solar de forma lenta e sedutora, desço minha mão — bruta em vista do corpo delicado — para sua lombar. Decidido apalpar sua bunda que engole o pequeno fio que ela chama de biquíni segurando a carne redonda e pequena com firmeza, sentindo como é gostoso acariciá-la.

— Ele me paquerou. Mesmo sabendo que estou grávida me achou atraente, isso é inusitado.

— Não tem nada de inusitado nisso. Você é uma mulher muito atraente, Safira. — Meus dedos descontrolados delineiam o tecido da calcinha fina, ela ofega bastante receptiva, fecha os olhos e parece perdida em seus pensamentos.

— Você nunca disse isso antes. Pensei que não achasse isso de mim.

— Não sou cego — asseguro-lhe colando a pelve em sua bunda, deixando que sinta o quanto me excita, o quão duro ela consegue me colocar.

— Está quieta, querida. No que está pensando?

— Nada.
— Mentirosa.
— Maurice... — O gemidinho feminino me arrepia assim que a minha língua serpenteia pela sua nuca, provando o quanto ela é deliciosa.
— Diga, no que está pensando.
— No meu sonho.
— Ah! Mas lá era um desconhecido te tocando, aqui sou eu.
— Sim.
— Eu sou tão bom quanto ele? — pergunto baixinho, instigando-a.
— Igual. — Engole em seco, enquanto tento controlar meu corpo e o modo que ele reage a esta mulher. — Como posso sonhar com você me tocando antes de te conhecer?
Então decido lhe contar a verdade.
— Por que você já me conhecida. — Perco o contato com sua pele quente quando ela se desvencilha e me encara, confusa.
— Eu comecei a sonhar com isso no hospital, antes de você entrar na sala, como isso pode...?
— Na verdade, seu sonho é na verdade uma lembrança, Safira. — Abre os lábios rosados, confusa. — A lembrança do dia em que fizemos nosso bebê.
— Como isso pode...
— Pelo visto, sua mente julgou importante que você não esquecesse esse momento.
— Então, o tempo todo, o homem por trás de mim era você?
Ela fita o chão, parecendo ainda confusa.
— Sim, querida, antes de ter você eu a toquei, senti cada parte do teu corpo em minhas mãos.
— Eu queria conseguir lembrar mais, lembrar de tudo que aconteceu naquela noite.
— Você está indo bem, e eu posso dar um empurrãozinho...
— Como?
— Em breve você vai saber — confesso enquanto percebo que não consigo sair imune de suas provocações, mas é hora de dar fim ao nosso jogo. — Beba água de coco.
— Ordens e mais ordens. Não sei se já te disseram, mas você é bastante mandão.
— Ainda estou no meu prazo de duas semanas, apenas me obedeça, raio de sol.

Ela aprova o apelido que lhe dou, seu sorriso sendo a confirmação.

Começa a beber a água de coco pelo canudo e a encaro, mesmo sabendo que cumprirá aos meus desmandos ela sempre tem de me atiçar.

Como uma mulher pode me tirar tanto do sério e ainda assim me deixar louco de desejo?

— O que foi? — pergunta com uma inocência característica dela que, contrasta com a sua constante malícia.

Decido abrir o jogo sobre o quanto ela consegue me afetar, o quanto a respeito, e jogar limpo sobre para onde estou chegando sobre nós dois:

— Como pode achar que não reparo em você como mulher? O tanto que me afasto é pra não ultrapassar os limites, porque você pode me querer agora, mas a Safira do futuro não me quer. Então, por mais que o meu desejo seja te levar lá pra baixo e foder o dia inteiro com você nesse barco, alguém tem de ter responsabilidade aqui.

Vejo que ela para de beber a água de coco, e tento me recompor. É o momento de ser o adulto entre nós dois.

— Vou até lá em baixo, colocar uma roupa de banho. Coma!

Jogo o sanduíche que estava na mesa para seu colo e me afasto para não cometer uma loucura.

CAPÍTULO 14

Maurice

A Ajuda

Preparei para nós um dia de tranquilidade. Paramos em algumas ilhas e aproveitamos para tomar um banho de mar e, na última parada, fomos a uma pousada com Spa, onde deixei Safira recebendo massagem nos pés enquanto relaxo na jaccuzi.

Reflito acerca das nossas últimas conversas, faz tempo que eu não tenho uma mulher assim, dominando a cabeça e o corpo.

Durante toda a vida Liliana foi a única mulher que beijei e toquei intimamente, na noite em que conheci Safira eu estava carente, com tesão. Nossa química me fez entrar em combustão e acabou comigo a levando para um canto escuro da boate e cedendo ao nosso desejo desenfreado.

E, desde então, Safira foi a última mulher que toquei. Isso há quase quatro meses!

Talvez todo esse meu desequilíbrio com ela se dê pelo fato de eu estar há tempo demais sem transar, sem tocar em uma mulher, ser tocado... E aí a minha mente nebulosa me transporta para a nossa conversa na lancha.

Como foi gostoso sentir suas curvas em minhas mãos!

Meu pau instantaneamente se põe duro feito uma rocha dentro da sunga azul-marinho, estico as pernas e solto um suspiro.

Na privacidade da jacuzzi, desocupada por estarmos fora da alta temporada de viagens, eu reprimo a vontade de colocar a mão em meu membro e tocá-lo até que esteja gozando insanamente pensando nela, como tem sido nos últimos dias, como a porra de um adolescente.

Sinto a presença da minha pequena provocadora assim que coloca as mãos na fechadura da porta, mantenho os meus olhos fechados, passo a mão em meu cabelo molhado penteando para trás e permaneço com a cabeça recostada na madeira.

Ela se aproxima, sorrateira e sem alarde, porém mesmo sem ter feito barulho eu a interpelo ainda de olhos fechados.

— Por que não está curtindo a massagem?

— Estava te procurando — confessa e lentamente a encaro de forma profunda, mais excitado do que nunca.

Por mais que eu fuja, ela sempre está me procurando e isso me deixa louco.

Estendo as mãos, convidando-a para entrar, porque a entendo. Também não quero ficar longe, não agora, não hoje.

Ela caminha vindo em minha direção, conforme se encaixa dentro da hidromassagem eu me remexo, reparando na porra de biquíni pequenininho que ela usa. A parte de cima mal cobre seus mamilos e a parte debaixo deixa pouco para a imaginação.

— Você não está com roupa alguma, daqui eu consigo ver cada centímetro seu — implico recebendo um biquinho como resposta.

Na parte da frente é nítido que ela é depilada por completo, já que as beiradas da sua boceta aparecem, e atrás é um fio-dental que parece deixar a bunda dela ainda mais arrebitada. O paraíso que faz a minha mão arder de vontade de apertar.

— Ciúmes?! Do jeito que você é mandão, se eu fosse sua mulher teria ordenado que eu usasse algo mais... discreto.

— Se você fosse minha mulher, não usaria algo assim. — Aponto para a peça.

— Machista.

— Sua bunda estaria tão marcada com pela minha mão, que seria impossível usar algo assim tão revelador — confesso.

— E se você fosse meu, Tozzini, estaria com esse peitoral trincado aí todo marcado com as minhas unhas, e então você também teria de mantê-lo com uma camiseta, tapando — retruca a maldita, na mesma moeda.

— Senta aqui. — Mexo a cabeça para que ela sente ao meu lado.

— Ordens e mais ordens — reclama caminhando dentro da água vindo para mim.

Surpreendendo-me, Safira se senta em seu colo, cada coxa por cima das minhas, meu pau duro sendo esmagado pela boceta quente que se encaixa mesmo que por cima das nossas roupas de banho. Eu a abraço, enganchando as minhas mãos em sua cintura.

— Parece que você gosta de exposição em lugares públicos.

Olho ao redor, a sala está totalmente vazia, mas a grande janela ao nosso lado dá de frente para a piscina do hotel, que tem algumas pessoas curtindo. Ainda que de costas para nós, podemos ser vistos.

— Não estamos fazendo nada demais, Maurice — diz com um sorriso malicioso nos lábios e rosno quando ela dá uma rebolada em meu colo.

— Você gosta de me provocar, Safira!

— E você gosta de ser provocado.

Lembro-me do menino de olho nela na lancha, a sós eu ordenei que se mantivesse longe dela, fiquei puto quando o vi a secando, reparando em seu corpo e fazendo com que gargalhasse.

Possessivo, eu chupo a pele doce do pescoço dela que rebola lentamente sobre a minha ereção, sugo a sua carne tendo como certo que ao regressar para a lancha ela estará marcada por mim, para que todos saibam a quem ela pertence.

Mais que porra! Ela não me pertence, de onde veio isso?

— Maurice... — O gemido que mais se parece com um miado me faz prendê-la ainda mais firme em meu colo, louco para abrir mão de todo o meu autocontrole.

— Nós não devíamos sentir tanto tesão assim um pelo outro, é perigosa demais a linha que estamos cruzando.

— Pare de pensar e satisfaça meu desejo de grávida, Maurice.

Essa mulher desperta o homem esfomeado que nunca soube que existia em mim, afinal de contas, estava em uma relação segura e rotineira. Com Safira nunca sei qual será o próximo passo.

— Ah é?! Então, diga-me... Qual é o seu desejo de grávida agora? — incentivo mesmo consciente do quão errado isto é.

Por alguns segundos, deixo meu pau falar por mim.

— Quero gozar, Maurice.

— Porra!

Dou uma supervisionada no ambiente vendo que todos na piscina permanecem de costas para nós, e faço uma loucura. O que está se tornando habitual quando estou ao redor de Safira.

Coloco a parte debaixo do seu biquíni de lado expondo a boceta pequena e, desesperado para gozar também, sussurro ao seu ouvido:

— Rebola, vai!

CAPÍTULO 15

Maurice

A Culpa

A fricção da sua boceta em minha sunga se torna insistente, meu pau pulsa em desespero pelo contato direto com ela, e o coloco para fora apenas para sentir seu clitóris se esfregar, subindo e descendo, pele com pele.

Gemendo, ela manteve os olhos fechados, como se estivesse em êxtase, belisco o mamilo por cima do biquíni, sentindo a minha boca aguar de desejo de colocá-lo para fora e sugá-lo, mas mantive a cabeça atenta ao local público em que estávamos.

Assim que sente meu toque a estimulando ela ofega. Seguro sua bunda, impedindo-a de se esfregar tão rapidamente no meu pau, isso pode chamar a atenção demais. Comando-a em um ritmo lento e torturante.

— Devagar, me sinta, raio de sol.

Conter Safira e seu desejo insano é o mesmo que tentar segurar uma represa prestes a jorrar, ela me provoca e eu sempre caio, porque simplesmente não consigo controlar o tesão que sinto por essa menina que carrega o meu bebê no ventre, é animalesco e possessivo demais para que eu controle essa relação.

Imprudente, arrastei minhas mãos alcançando seu couro cabeludo envolvendo um punhado de mechas ruivas entre meus dedos, ouço-a gemer torturada quando puxo o cabelo longo.

Ela inclinou o corpo sentindo cada centímetro do meu membro em riste, suas pernas me apertavam assim abertas e convidativas, insaciáveis. Prendo em meus dentes o lóbulo da sua orelha, chupando e segurando meus gemidos.

— Maurice, está tão gostoso. — Soluça arranhando as minhas costas, sentir as suas unhas me rasgando, deixa-me ofegante e fora de controle.

Suas mãos agarraram meu pescoço me forçando a olhar para ela, e ali eu sinto o que ela queria e eu não poderia dar. Um beijo. Safira queria ser beijada.

Puxo-a pela cintura prendendo seu corpo ao meu e chupo seu queixo, descendo pelo pescoço cheiroso, fugindo ao mesmo passo que me entrego como posso.

Empurro-a e a esfrego contra meu pau, sentindo-a pulsar, a fome com que a movimentei nos fez quebrar juntos, enquanto Safira tremia sobre mim, eu jorrava em baixo dela.

Senti os dentes dela rasgarem a minha pele do ombro enquanto ela reprimia um grito. Grunhi, rouco, jogando a cabeça para trás, percebendo o quanto precisava dessa libertação.

Tudo que eu quero agora é ter Safira nua em minha cama, com as pernas abertas esperando para gritar meu nome por todo o dia. Maldição!

Nossos peitos subiam e desciam em uma verdadeira luta para respirar. Ela sorri, tendo um pouco de prudência, coloco a calcinha do seu biquíni no lugar e guardo meu pau na sunga. Melhor evitar...

— Isso foi delicioso! Sempre que você me toca é bom, Maurice.

— Posso contar que vou ter o restante do dia sem provocações, já que a deixei satisfeita, certo?

— Quem disse que satisfez? Só abriu meu apetite, senhor mandão.

Ela sai do meu colo.

Caminha para fora da hidro, a bunda pálida arrebitada agora possui a palma da minha mão a marcando, o que faz com que ela passe o resto do passeio coberta, como eu sugeri em nossa interação.

Olho para o céu algumas vezes, pensando em Liliana, em nosso amor, então me julgo por me permitir viver algo assim tão intenso com Safira em tão pouco tempo que perdi minha esposa.

Coloquei meu caráter a prova, mas não consigo mentir para mim, gosto de cuidar de Safira, cada dia mais ela está mais apegada a mim e eu a ela.

Depois do que rolou na hidro, ela passou o dia grudada em mim, aproveitando toda e qualquer oportunidade para me tocar e fazer com que encostasse nela.

Mesmo balançado, não a reprimi. Estou confuso, chateado por minha confusão de sentimentos e ainda queimando de tesão, seguido de muita culpa.

E na equação ainda tem um bebê, um inocente que eu jurei proteger, meu filho.

Retroceder ou persistir?

CAPÍTULO 16

Maurice

O Cuidado

Assim que chegamos do passeio, Safira está sonolenta, retira-se para o quarto da mãe que passa um café fresco. Eu o aceito de bom grado.

— Você é um homem bom, Maurice — diz, enquanto assopra o líquido fumegante em sua xícara.

— Obrigado! Eu tento, dona Nildinha.

Sentados frente a frente na mesa de madeira posta na lateral da casa, onde uma pequena varanda nos dá a vista da rua, da praia. Eu consigo perceber certa semelhança entre ela e Safira, o mesmo jeito de falar, os mesmos olhos, embora a mulher mais velha possua um olhar mais triste.

— Já parou pra pensar no quanto esse filho vai mudar sua vida? — A pergunta é feita no momento em que me delicio com o café feito no coador, delicioso.

— Ultimamente não tenho pensado em outra coisa.

— Se quer um conselho, fique o mais próximo possível, quanto mais presente somos na vida dos nossos filhos, mais eles serão nossos parceiros. Por muitos anos fui assim com a Safira e, quando nos afastamos... Olha no que deu.

— Dica anotada.

Respondo, contido, porque apesar de essa ser a minha vontade, eu ainda não sei como será a minha relação com Safira, já que quando me contou da gravidez deixou bem claro que se eu quisesse ter acesso ao meu filho, que eu fosse para a justiça. Ela não estava disposta a dividir a guarda comigo de bom grado.

Meu celular vibra no bolso, no visor a foto de uma senhorinha baixinha de cabelo longo e lindos olhos azuis, a mulher que me deu a vida.

Peço licença a dona Nildinha e caminho para fora da casa, observando as ondas batendo no mar, atendo ao celular.

— Oi, mãe! Sua bênção.

— Deus o abençoe, filho. Onde você está? Estou com saudades, fui até seu prédio hoje, mas fui avisada de que você saiu com malas.

— Mãe, estou resolvendo alguns problemas, volto amanhã. Pode deixar que eu vou visitá-la.

— Sobre o bebê, meu netinho, quando vou poder conhecer a mãe desmiolada?

— Mamãe... — repreendo.

— Ah! Maurice! Uma mulher para engravidar solteira, em pecado, só pode ser tão desmiolada quanto você.

Reviro os olhos com a frase carregada de preconceito da minha mãe, que é fanática religiosa.

— Em breve a senhora vai conhecê-la. Precisa de algo, mãe?

Irene Tozzini me criou sozinha, sem pai, passamos por ações de despejos, mudamos mais vezes do que posso me lembrar. Eu sou um bastardo, um filho fruto do patrão com a empregada da casa. Assim que meu pai soube da minha existência, pagou para que minha mãe me abortasse, ela pegou o dinheiro e sumiu no mundo comigo.

Já maior de idade eu fui atrás dele, para esfregar em sua cara que eu estava vivo, criado e formado na faculdade. Por sua vez, ele quis me conhecer melhor, mas nunca foi essa a minha intenção.

Abri meu escritório com meu primo, em sociedade, e hoje somos um dos maiores do país, e estamos em expansão.

Eu nunca quis ter filhos, mas quando Safira me contou da gravidez tudo mudou, afinal estava feito. Eu sei que dá para viver e vencer sem ter um pai, mas eu quero ser para meu filho o que eu não tive.

Atualmente minha mãe tem um salário singelo de aposentada e eu a sustento, pago todas as contas da casa e lhe dou dinheiro, ela é dedicada em ir às missas e é membro assíduo na paróquia que frequenta. Eu gosto de saber que ao menos ela tem uma distração, embora suas convicções retrógradas me deem nos nervos em vários momentos.

— Não, o dinheiro que você me dá é mais que suficiente para as minhas compras e para ajudar a igreja.
— Tudo bem, preciso desligar.
— Deus abençoe seus passos, filho.
Respiro fundo, vou precisar preparar tanto minha mãe quanto Safira para esse encontro, não será nada fácil.

Maurice

Decidi comer um sanduíche e me deitar cedo, já que vamos embora pela manhã, e vou encarar umas duas horas dirigindo, no entanto, no meio da noite, ouço a porta do quarto se abrir.

Com apenas um olho aberto encaro Safira entrando no cômodo nas pontas dos pés, sorrio quando sinto seu cheiro se aproximando cada vez mais e ergo a coberta a convidando para dentro.

Apertados na cama de solteiro, não me resta outra opção senão colar nossos corpos em uma conchinha deliciosa onde me pego absorvendo o cheiro doce do cabelo ruivo e, sinceramente, o sono parece ter muito mais qualidade assim.

Safira reclama de fazer caminhada logo que o sol nasce, achei que seria uma boa ideia caminharmos à beira da praia, mas sua sonolência e desânimo em sair da cama me vencem, acabo dormindo junto dela até um pouco mais tarde. O que geralmente me irrita, pois eu odeio sair da minha rotina, e sempre que perco o nascer do sol fico sem humor, mas acabo deitado velando o seu sono, fazendo nela um cafuné e acariciando o ventre que já começa a despontar cada vez mais.

Próximo da hora de irmos, levanto e lhe servo café na cama que ela come enjoando e colocando tudo para fora em seguida. Até tento entrar no banheiro para ajudá-la, mas sou impedido pela sua teimosia.

Dona Nildinha tem em mãos um bolo de coco que obriga a filha a levar embora conosco.

— Promete que vai se cuidar, mãe?
— Sim, peguei contatos com o Maurice de vários profissionais. Eu estou empenhada nessa empreitada de me reconstruir.
— Obrigada por tentar, mamãe.
— Obrigada por vir, filha. Olha, esse presente aqui quero que abram juntos.

Surpreendo-me com o embrulho e me coloco ao lado de Safira, que abre, curiosa, desfazendo o saco de presente de tamanho mediano repleto de corações vermelhos.
Dentro nos deparamos com um ursinho de pelúcia marrom, lindo.
— É pro meu netinho ou netinha.
Safira fica alguns segundos paralisada, olhando para o urso. Devido ao seu silêncio, sinto-me na obrigação de agradecer.
— É o primeiro presente dele ou dela, obrigado!
A psicóloga da Safira já tinha comentado comigo que acreditava que a gravidez fosse algo difícil e conflituoso dentro dela, e a cada dia percebo que tem razão.
Afinal, ela diz que quer a criança, mas qualquer passo que tentamos dar referente ao bebê ela paralisa.
— Se cuida filha! Eu te amo!
As duas se abraçam e logo Safira tem a mão atada à minha, ação que não passa despercebida pelo olhar astuto de sua mãe.
Nossa viagem de volta foi um tanto silenciosa, Safira dormiu durante quase todo o trajeto devido os enjoos. Embora saibamos que é um sintoma normal da gravidez, eu me prontifiquei a levá-la ao pronto socorro, mas fui ignorado.
— Eu não via a hora de chegar aqui e esticar as pernas — ela diz se jogando no sofá. — Minha lombar tá me matando, ou melhor, esse bebê tá matando a minha lombar.
— Vou te fazer uma massagem, vem aqui.
Sento-me pegando os seus pés e os amassando, Safira solta um gemido enquanto torço seus músculos e nos entreolhamos.
— Vamos falar sobre os últimos acontecimentos ou fingir que você nunca me fez gozar?
— Safira...
— Certo, vamos fingir que isso nunca aconteceu, então.
— Sobre o que você quer falar?
— Se foi bom pra você tanto quanto foi pra mim...
— Foi — respondo com rispidez, completamente irritado com a forma como meu corpo reage a ela, como me excito facilmente com essa simples conversa.
— Eu quero que saiba, Maurice, que vou lidar com isso como adulta. Sei que não vamos ter um relacionamento, ainda assim quero aproveitar os nossos momentos juntos. A química explosiva que nós temos.
— Penso da mesma forma.

— Então, vamos aproveitar.

Movo a minha cabeça para cima e para baixo dando a minha anuência, sabendo que o pacto silencioso que estamos assinando pode sair totalmente do controle. Mas, o tesão incontrolável que sinto por essa mulher fala por mim, e vale o risco.

CAPÍTULO 17

Safira

A Resiliência

Dou dois toques na porta do quarto de Maurice e entro em seguida, ele me recebe com uma toalha enrolada no quadril, checo cada gominho de seu peitoral liso descaradamente.

Ele me pede um momento e em seguida some, entrando em seu banheiro. Ajeito meu pijama de babados na parte inferior e sento em sua cama, se ele não me expulsou já significa algo.

Reparo em seu quarto, este segue os mesmos detalhes de decoração industrial do restante do apartamento. Na cabeceira uma foto de um jovem Maurice sorrindo para uma mulher de pele avermelhada e traços lindos, indígenas, cabelo liso e olhos levemente rasgados. Ela também sorri e parece tão doce.

Na foto seguinte, mais velhos os dois ostentam trajes de casamento. Ela com um lindo e grande véu, o vestido de noiva comportado de mangas longas e sem nenhum decote, Maurice em um terno tradicional.

Possui também fotos dos dois de beca, ambos fazem careta mostrando para a câmera as suas carteiras da ordem dos advogados do Brasil. O tipo de casal que eu ia amar ser amiga, ter por perto, divertidos.

— Não consegui me desfazer dessas fotos, ainda estou no processo de desapego.

— São fotos incríveis. Ela era linda demais! Maurice, vocês dois pareciam imbatíveis juntos.

— Morávamos na mesma rua, nossas mães foram amigas a vida inteira, crescemos juntos. Apesar de ela ser bem mais nova que eu, vivia grudada em mim, descobrimos tudo juntos. Liliana escolheu a mesma faculdade que a minha, nós nos formamos juntos porque demorei a conseguir entrar numa faculdade pública, enquanto ela passou de primeira, estudamos arduamente para tirarmos a carteira da OAB, e passamos de primeira no exame, novamente juntos. Ela era brilhante.

— Uau! — falo completamente vidrada nas fotos, cada uma parece carregar a história de amor dos dois, e isso não me causa ciúmes, sim, admiração pela história deles, afinal já estava escrita quando cheguei à vida de Maurice, agora estamos escrevendo a nossa.

— Nos casamos, eu abri o escritório com o Otto, e mesmo sabendo que ela não aguentaria o tranco de advogar, apoiei.

— Como... Como foi que ela morreu?

— Liliana começou a reclamar de dores de cabeça, ela não dava muita atenção, nem eu. Comíamos muitos industrializados, como estávamos muito focados na carreira não tínhamos uma rotina, então um dia, ela sentiu as tais dores de cabeça e eu insisti em irmos ao médico, mas não deu tempo. Quando dei por mim, ela estava convulsionando em meus braços, urinando na própria roupa de tanta dor, e em seguida completamente sem vida. Não houve nada que eu pudesse fazer, ela já chegou morta ao hospital.

— Eu sinto muito.

— O médico disse que foi um infarto fulminante.

— Ela parecia jovem demais para um infarto.

— O médico me explicou que os jovens em geral não têm a circulação colateral. — Pela minha expressão curiosa ele se sente na obrigação de explicar mais. — É uma... Vou chamar de proteção, algo que o corpo desenvolve a partir dos quarenta anos. Esta proteção é composta do surgimento de pequenos vasinhos sanguíneos que compensam as falhas de irrigação do coração por motivo do entupimento de artérias.

— Mas tem alguma causa?

— O entupimento destas artérias acontece de forma gradativa durante os anos como forma de reflexo aos maus hábitos alimentares, tabagismo e sedentarismo. Contudo, o coração procura outros caminhos para fazer com que o sangue circule por ele. Logo quando acontece o infarto, por mais que as artérias principais estejam impedidas, há estes outros vasos capazes de deixar que o sangue circule até a chegada de um

socorro especializado. Como os jovens não têm este mecanismo, as chances de falecimento por causa do infarto são maiores. Foi o que aconteceu com Liliana.
— Por isso você, hoje em dia, é tão regrado com alimentação, exercícios e rotina. — Tiro a minha conclusão.
— Não só por isso, mas porque no primeiro mês sem ela eu fui ao inferno, busquei ajuda psicológica, e precisei me cuidar para viver o luto. Eu tenho a minha mãe para cuidar e sustentar, não podia me dar ao luxo de ir pra cova também.
— É muito generoso da sua parte, pensar nos outros em meio à sua dor.
— A vida é do jeito que ela é. Minha mãe já passou por muita coisa ruim e, agora mais velha, eu cuido dela. Fiz essa promessa quando me formei na faculdade.
— Eu também quero cuidar da minha mãe, eu entendo você.
— Seguro em sua mão.
— E você vai conseguir, Safira.
— Eu queria ter a sua força e resiliência, Maurice.
— Você é mais forte e mais resiliente do que imagina.
Nego com a cabeça e deixo cair uma lágrima, que ele seca com seu indicador.
— Venha, vamos deitar. Amanhã temos caminhada.
— Ah, não! — reclamo ouvindo a sua risada antes de apagar o abajur.

Sou acordada com beijinhos no pescoço, embora consciente do corpo quente colado ao meu, mantenho os olhos fechados na expectativa de que ele desista de me acordar.
— Eu sei que está acordada. Anda, temos de levantar
— Deus do céu! Ainda nem tem sol, Maurice.
— Por isso mesmo, precisamos pegar os primeiros raios solares.
— Estou grávida, isso me dá o direito de acordar mais tarde.
— Anda, Safira! Ainda estou no meu prazo de ordens.
— Eu odeio ter aceitado esse acordo, mas odeio mesmo.
De má vontade visto a legging e um top, amarro o cabelo em um rabo de cavalo alto e bagunçado e coloco a viseira para me proteger do sol. E para não ser reconhecida na rua.

Assim que me sento à mesa, um delicioso *smoothie* me é servido, o que faz meu humor melhorar gradativamente a cada sugada.

— Patrão, hoje vou ao mercado comprar a lista que me pediu.

— Excelente.

— Você pensa em tudo sempre?

— Sempre! Por falar em pensar, diga o que tem aí no seu copo, cada sabor.

Reviro os olhos começando a me concentrar nos sabores das frutas, afinal, essa é uma guerra perdida para mim, não existe a possibilidade de não respondê-lo, e sendo sincera, eu gosto da forma como ele cuida de mim.

CAPÍTULO 18

Safira

O Retorno

Assim que chegamos da nossa caminhada, enquanto me mantive estirada no sofá, Maurice tomou seu pós-treino, um banho e saiu para uma audiência. Recebi um beijo na testa e me irritou a sua disposição enquanto eu tomo coragem para simplesmente levantar.

— Dona Safira, é da portaria, visita para a senhorita. Uma tal de Rose Moretti.

A simples menção do nome da minha empresária faz meu coração acelerar e ativar o alarme de que o que vivo aqui não é a minha vida real, ela é um lembrete vivo do que me espera pela frente.

— Pode liberar. E passe um café para nós, por favor!
— Sim, senhora.

Levanto-me e já começo a esfregar as mãos, minha mente indo a milhão, afinal de contas minha empresária não viria aqui só para me ver.

— Está corada, Safira, a pele levemente bronzeada, você parece ótima.

— Obrigada! Estou, sim, muito bem.

— Não acha que é o momento de ir pra casa? Minha vida está um tormento desde que você está sob o domínio de Maurice.

— Do que está falando? — Soo um tanto atordoada, mas agora faz sentido.

Rose parecia totalmente preocupada comigo no hospital, ansiosa para saber da minha recuperação, e desde que vim morar na casa de Maurice nunca me ligou ou procurou, isso realmente é algo que não encaixa, e eu nem mesmo me questionei a respeito.

— Só tenho notícias suas através dele — confessa. — Ele não me permite falar com você, nem mesmo vê-la, hoje mesmo só consegui te ver porque esperei até que ele saísse de casa. Aliás, só tenho o endereço daqui graças aos meus meios escusos porque nem isso o Tozzini me deu.

Seu bufar de lábios me assusta, a mulher parece realmente irritada em seu macacão longo e vermelho imitando couro, chamativo tanto quanto suas sandálias e meias do dia do hospital.

— Eu não sabia que ele estava fazendo isso, Rose.

— Pois é, eu imaginei, mas está! E se nega a conversar com você a respeito do seu trabalho, é algo importante, as marcas estão me pressionando. Não sei quem ele pensa que é para nos atrapalhar.

— Não sei das suas intenções, mas ele tem cuidado muito bem de mim, com toda certeza fez isso julgando que seria para o meu bem.

— Mas você precisa voltar ao trabalho.

— Nós conversamos que eu ficaria um tempo descansando a cabeça, Rose.

— Até quando? Preciso de prazos, Safira. Estão me comendo viva.

— Me dá só mais essa semana, depois te garanto que vou voltar, mesmo que aos poucos.

— Não, preciso de você voltando no máximo até quarta desta semana! Tenho postado no teu feed algumas fotos que tínhamos guardadas, mas preciso do seu lindo rosto nos stories e publicando vídeos, só as fotos não vão satisfazer o público por muito tempo.

— Preciso de mais uma semana, Rose.

— Não!

— Vai ser isso ou nada. Agora me dê licença, preciso tomar um banho e descansar.

— Inacreditável! Você está se tornando tão intragável quanto ele.

A funcionária aparece às costas de Rose trazendo café em sua bandeja, e nego fazendo sinal com as mãos para que volte à cozinha, afinal não consigo ficar mais um minuto perto da minha empresária e suas cobranças.

Dou-me conta de que esta será a minha última semana morando com Maurice e que, provavelmente, ele não vai concordar com a minha decisão podendo até ficar bravo comigo. Decido então que farei desta a mais memorável semana para nós.

Mas confesso que me imaginar de volta àquela mansão, morando sozinha, apavora-me. Quando imagino o dia a dia sem Maurice e suas ordens que tanto reclamo, parece um martírio sem fim.

CAPÍTULO 19

Safira

A Surpresa

Enviei uma mensagem para Maurice, dizendo-lhe que o esperava no cinema para uma noite especial, ele demorou horas a me responder e recebi um seco "ok" como resposta.

Planejei um momento a dois, algo romântico, como encostar a cabeça no ombro dele e segurar em sua mão quando me assustasse, sentir seu cheiro por horas a fio. No entanto, quando o vi chegar vestido em seu terno azul-marinho, eu senti o impacto do seu olhar intenso me checando de baixo a cima.

Os planos definitivamente mudaram.

O meu desejo era cancelar esse cinema e ir correndo para casa, para sua cama, tocar e ser tocada do jeito que fazemos.

Como se trata de uma segunda-feira à noite, não tinha fila para a compra dos ingressos, o fiz com rapidez escolhendo a última fileira de assentos para nós.

Coloquei um vestido romântico de saia rodada, de estampa floral cor-de-rosa, prendi o cabelo em um coque alto colocando um boné para tentar passar despercebida para que não houvesse a possibilidade de ser reconhecida.

— Eu sei que você é natureba, mas pipoca pede um refrigerante. — Faço um biquinho e ele sorri.

— Não, você vai beber suco.

— Maurice, mas...

— Ainda estou na minha semana — corta-me com um ar divertido.

Eu poderia simplesmente bater o pé, afinal sou a dona da minha vida, mas confesso que gosto das suas ordens.

— Tudo bem, senhor mandão — respondo revirando os olhos, mas com um sorriso estampado no rosto.

Enquanto Maurice foi comprar as pipocas e sucos, fiquei olhando para ele, comendo-o com os olhos, checando, medindo de cima a baixo, pensando em como a Safira do futuro teve sorte de tê-lo mesmo que por uma noite.

Mas me irritei ao perceber que não era a única que o paquerava deliberadamente. A funcionária que o atendia estava sendo simpática demais, mordendo os lábios demais, descaradamente babava em cima dele e não posso julgá-la, afinal de contas o homem é lindo, mas a insegurança veio com tudo.

— Trouxe suco de laranja natural, beba tudo, você não pode ficar muitas horas sem se alimentar.

Entrega-me o copo de 500 ml, faço uma anotação mental de checar com sua funcionária, porque não há outra forma de ele saber sobre a minha alimentação.

— Como você sabe que estou há horas sem me alimentar? Senti enjoo hoje, não consegui comer muito.

— Eu sei tudo sobre você, raio de sol. — Em dois passos ele está a minha frente, segurando-me pelo queixo, roubando minha atenção. — Precisamos ir à médica para que ela passe algo que melhore esses enjoos.

— Depois eu vejo isso, não se preocupe. — Olho para o chão, não suportando a ideia de ir à médica.

— Safira, você precisa se alimentar.

— Olha só, estou bebendo tudo! — Começo a sugar o canudo na tentativa de mudar o assunto. Apontando com o queixo, comento: — A menina que te atendeu é bem bonita, não acha?

Imediatamente ele tira as suas mãos de mim.

— Não reparei.

— Sei... Homens! — Bufo fingindo irritação.

— Eu não costumo reparar em mulheres que não têm meu filho na barriga.

— Falso! — implico sorrindo, não vou mentir, achei sua resposta fofa.

A porta da sala é aberta e logo começamos a caminhar para dentro. Escolhi um filme de ação, apesar de não gostar muito da temática, eu queria agradar Maurice. Vi em sua conta na Netflix que ele gosta de filmes e séries de ação, praticamente só vê isso, então me empenhei em agradá-lo, mesmo que me dê sono durante a sessão.

Assim que entramos na sala e nos acomodamos em nosso lugar, senti que ele estava levemente eufórico. Enquanto me acomodava na poltrona confortável ele me confessou que já fazia alguns anos que não vinha ao cinema. Sorri internamente, sentindo que acertei no lugar do encontro.

— É, parece que ficaremos só nós dois aqui atrás — diz, também se ajustando.

— Parece que sim. — Olho para a tela passando alguns trailers, mortes, sangue e armas.

Como alguém pode ver graça nisso?

— Quer pipoca? — perguntou, colocando o pote no assento vazio ao seu lado e neguei com a cabeça, só o cheiro me dando náuseas.

Mantive os meus olhos atentos na plateia à frente toda dispersa e focada no filme que já começa com ação, fazendo-me bocejar.

Maurice está relaxado em sua cadeira, com as pernas meio abertas e aproveito para recostar no assento e serpentear minhas mãos na sua coxa. Seu corpo remexe e o seu olhar azul vai de imediato para a minha mão pálida.

— Vai me atiçar aqui? — sussurrou me olhando, enquanto eu me mantive olhando para frente.

— Cinema vazio não foi feito para ver filme, senhor mandão! — Mordi meus lábios ainda o ignorando com os olhos.

Acaricio seu pau que repousa dentro de tanta roupa, guardado para o lado direito, e sinto que enrijece a cada toque suave.

Maurice fecha os olhos e me sente, colando a cabeça no assento, no entanto, eu o pego desprevenido quando tiro meu boné e saio da cadeira para me ajoelhar no chão à sua frente.

Os olhos azuis se abrem, perdidos, olhando ao redor e em seguida para mim, questionadores. Imprudente, eu abro o botão da sua calça e desço o zíper.

— Safira, estamos em um lugar público, pode ter câmeras aqui — ele diz, mas não recua em nenhum momento, a boca diz algo contrário ao que seu corpo deseja.

— E isso não te excita ainda mais? — perguntei lambendo os lábios.

Ele silencia e encaro isso como uma anuência.

— Porra! — ofega assim que coloco seu pau completamente duro para fora.
— Não se preocupe, você não vai se sujar. Eu vou engolir tudo — instigo e derrubo qualquer barreira moral que ele poderia ter.
Maurice segura meu cabelo pelo coque e me empurra em direção à ereção que lateja em minhas mãos.
Sem qualquer cerimônia ou joguinho, eu o levo para dentro da minha boca, fazendo com que a cabeça incomode minha garganta, ele geme tentando se conter, apertando meu cabelo. Sorrio quando vejo que após o gemido ele olha ao redor para ver se alguém ouviu ou percebeu algo e em seguida lambe os lábios me encarando.
Desço e subo, fazendo-o sumir por entre os meus lábios, melando-o inteiro com minha saliva. Quando uma cena de ação começa fazendo com que sons muito altos preencham o ambiente, Maurice assume o controle socando em minha garganta, sem qualquer cuidado, e eu fico enlouquecida sentindo o rosto babado pelo seu líquido pré-sêmen.
— Safira! — Ouço os arquejos entre um som de tiroteio e continuo focada em levá-lo inteiro para dentro, mesmo que essa seja uma missão quase impossível, dado seu tamanho avantajado. — Olha pra mim! — ordena, sendo obedecido no mesmo instante. — Engole a minha porra enquanto olha pra mim.
Ele fricciona mais forte, fazendo-me tossir, enquanto o mantém cravado em minha garganta. Logo eu sinto seu sêmen jorrar quente e suas mãos perderem a força no meu couro cabeludo.
Seu rosnado é abafado pela cena de cavalgaria da tela e passo a minha língua em toda a sua extensão cumprindo a minha promessa, deixando-o completamente limpo.
Sento-me na cadeira ao seu lado e ele passa as mãos em minha bochecha, admirando o local lambuzado.
— Vamos embora daqui, agora! — rosna cada uma das palavras, olhando para mim.
— Maurice...
Antes que eu possa lhe dizer que o filme acabou de começar, ele está de pé, caminhando para fora enquanto fecha as calças. Rio de sua urgência e caminho atrás dele cobrindo meu cabelo com o boné, deixando nossas pipocas intocadas no assento.

CAPÍTULO 20

Maurice

A Visita

Fizemos uma silenciosa e afoita volta para casa. Pensei em parar o carro e prová-la aqui dentro, mas os meus quase 1,80m me impediram, não consigo fazer muitas movimentações dentro de um automóvel.

Fiquei perdido em meus pensamentos e Safira respeitou o meu momento, permanecendo quieta, porém o caminho inteiro suas mãos ficaram em minha coxa, acariciando-me, fazendo o que ela ama, provocar-me.

Por fim, entendi que não posso fugir da atração louca que sinto por essa garota. Ainda não sei o que fazer sobre isso a longo prazo, mas neste momento eu decidi matar a nossa vontade. Enfim, ceder aos desejos do meu corpo e saciar a curiosidade de Safira.

Assim que tenho a porta de casa trancada, inesperadamente eu a agarro pela cintura, ela de costas para mim solta um gritinho surpreso, beijo o seu pescoço, roço o meu corpo no seu.

Meu pau sentindo levemente a bunda macia e arrebatada. Desde que ela me chupou no cinema estou louco de tesão, o desejo não passou com o gozo.

Assim que ela tira o bendito boné, solto seu cabelo ruivo do coque somente para prender os fios em minhas mãos. Quando ouço seu gemido, isso acorda um animal em meu interior, um desejo tão feroz que nunca tive antes.

— Isso, geme bem alto. Você gosta de me provocar, então eu vou te atiçar também.

— Maurice... — ronrona tão agudo e fininho como uma gata miando.
— Eu estou louco por você, Safira.
Sentindo o quanto estou rendido, ela se vira para mim e de imediato os braços finos abraçam meu pescoço, suas pernas se esfregam nas coxas. Desejo fugaz entre nós, incendiando tudo.
Seus lábios rosados começam a sugar a minha pele do pescoço, subindo para a minha bochecha e queixo, quando se aproxima da minha boca eu a interpelo segurando seu cabelo em um rabo de cavalo puxando sua cabeça para trás. Expondo seu pescoço, lambendo suas orelhas e gemendo bem baixinho ao pé do seu ouvido, vendo a sua pele arrepiar, louca de desejo e de tesão por mim.
Realmente eu gostaria de levá-la para meu quarto, tê-la em cima de uma cama, mas estou desesperado, faminto, louco para possuí-la, olhando ao redor só consigo enxergar o sofá próximo a nós e decido que vai ser ali mesmo que vou tomá-la.
Seguro a polpa arrebitada de sua bunda, sentindo a textura macia, a pele tão delicada deslizando fácil a minha mão. Aperto com força, querendo deixar nela minha marca por dias, o sentimento de posse me tomando por inteiro.
Caminho, levando-a para o sofá e Safira começa a desabotoar a minha camisa enquanto retiro rapidamente me blazer, até mesmo atrapalhado.
Quando finalmente tenho meu peitoral nu, ela raspa as suas unhas na minha pele, gemendo, contorcendo-se.
Já faz tanto tempo que não tenho uma mulher em meus braços que me sinto afoito como um adolescente, a última com quem transei foi ela, porém foi rápido e desesperado, agora posso venerá-la, o que me faz respirar fundo em busca de controle, preciso me acalmar para fazer isso do jeito certo.
Deito-a no sofá e fico por cima, controlando meu peso nos braços para que não recaia sobre ela, que segura meu cabelo deixando nossas bocas muito próximas.
— Maurice, me beija, quero sentir seu gosto — pede e fecho os meus olhos brevemente.
— Safira... — O tom de hesitação faz com que ela semicerre os olhos.
— Me beija.
Ignoro seu pedido e começo a beijá-la no pescoço, o que a faz se render.

— Filho, até que enfim você chegou... Oh! — A voz da minha mãe faz com que eu feche os meus olhos com toda força, isso é no mínimo inesperado.

CAPÍTULO 21

Maurice

A Religião

Safira foge dos meus braços sentando no sofá ajeitando seu cabelo e eu rapidamente pego uma almofada colocando em minha pelve, para esconder minha excitação.

— Mãe, a senhora não avisou que viria — falo totalmente irritado.

O porteiro obviamente liberou a entrada dela e entrou aqui com chave que lhe dei, pois raramente vem me ver e às vezes eu estou no trabalho ocupado para vir recebê-la de imediato.

— E desde quando preciso avisar?! Quando você era casado sabia respeitar sua casa, usar o seu quarto para fazer algo tão sagrado. — Olha de mau humor de mim para Safira.

— Corta o sermão, dona Irene. Estou na minha casa, não tenho de te dar satisfações.

A rispidez com que falo a deixa atenta de que estou no meu limite, afinal, minha mãe é controladora, mas eu sei colocá-la em seu devido lugar. Foi assim que sobrevivi aos seus desmandos.

— E essa... Quem é? — Aponta para Safira com desdém.

Antes que eu possa chamar sua atenção, a mãe do meu filho se coloca de pé e lhe estende a mão.

— Prazer, senhora, me chamo Safira.

— Você é a desmiolada que está com um bebê do meu filho no ventre, e mesmo sem ele te levar pro altar continua em pecado com ele?

— Sim?! — Safira responde meio confusa, os olhos azuis como os meus me encaram e semicerro os olhos para ela, silenciosamente pedindo que pare.
— Safira, esta é a minha mãe, Irene. Apesar da nítida implicância, ela estava louca pra te conhecer — interfiro.
— Ela é bonita, Maurice, achei que seria morena como Liliana.
— Mãe, chega!
— Desculpa, falei demais, é que ainda é difícil acreditar que Liliana se foi.
— Eu imagino, senhora Irene, não precisa se podar perto de mim. Eu respeito o amor que vocês sentem por ela, acho muito bonito até — Safira diz docemente e minha mãe parece interessada na ruiva.
— Já sabe o que é o bebê? — pergunta, baixando a guarda.
— Ainda não sabemos, creio que não deve demorar até que saibamos — respondo, mas a minha mãe pega Safira pela mão e a convida a sentar lado a lado, ignorando-me por completo.
— Você é católica? Vou levar meu netinho pra sementinha lá da igreja, já o imagino sendo coroinha na missa, assim como Maurice foi.
— Mãe, ainda não conversamos sobre religião.
Fui criado dentro da igreja, como eu era jovem demais para saber o que queria, permitia-me ir junto da minha mãe. Liliana também era católica e, quando casados, frequentávamos as missas dominicais, mas confesso que só ia pela minha mulher, depois dela tudo perdeu a graça.
— Meu neto não pode ser pagão, Maurice.
— Não tenho religião, senhora, mas não me importo se levá-lo. Fé é sempre algo bom, eu acho.
— Gostei dela, Maurice. — É claro que gostou, Safira disse tudo que ela queria ouvir. — Minha filha, vamos fazer um chá revelação. Uma irmã lá da igreja fez, foi a coisa mais bonita, uma chuva de papéis azuis, parecia até coisa vinda do céu, de Deus.
— Eu ainda não pensei sobre isso.
— Temos de fazer, meu netinho precisa saber que a sua vinda está sendo festejada.
— Mãe, depois vamos ver sobre isso. Agora a Safira precisa descansar e eu dormir, porque amanhã trabalho cedo. A senhora está bem acomodada em seu quarto?

— Sim, filho. Fiz bolo de banana que você gosta para tomar no café.

— Obrigado! — Beijo a sua testa e quase empurro Safira junto de mim para fora da sala.

Assim que fecho a porta do quarto, sinto-me na obrigação de me explicar.

— Desculpa por isso, minha mãe é totalmente invasiva.

— Eu gostei dela, do jeito que está ansiosa pelo netinho.

Safira ri, mas ela não imagina o quanto minha mãe sonhou em ter netos.

— No mesmo dia que contei, ela pediu pra rezarem um "Pai-Nosso" na missa, em prol da saúde do netinho.

— Que fofa, Maurice!

— Fofa?! Não se engane. Irene Tozzini pode ser bem persuasiva e manipuladora quando quer.

— Então já sei a quem você puxou, senhor mandão.

CAPÍTULO 22

Maurice

A Franqueza

Dormi agarrado com Safira, que de forma surpreendente se manteve sem me atiçar. Segundo ela, não queria que minha mãe ouvisse algo e dissesse novamente que estamos em pecado. Eu ri da sua fala, mas seu bico me mostrou que falava a verdade, sendo assim gravei mentalmente que minha mãe tem de ir embora o mais breve possível para que eu tenha qualquer intimidade com a mãe do meu filho.

Pela manhã, mamãe decide ir conosco à caminhada, ela nunca foi atlética, no entanto quer estar próxima de Safira. Como aparentemente estão se dando bem, e mamãe está sendo agradável, deixei as duas caminhando lentamente enquanto dei a minha corrida costumeira.

Quando as reencontrei ambas estavam sorrindo, decidi então relaxar. Parece que Safira soube domar a minha mãe melhor até que eu.

— Filho, eu vou à rua comprar algumas coisinhas para Safira, volto depois do almoço. Vou aproveitar para visitar a paróquia que abriu depois das obras, na rua de trás.

Ela fica na ponta dos pés e agacho para que me dê seu beijo na testa e sua bênção.

— Eu acho fofa a relação de vocês. Ela me disse que você a mantém financeiramente e sempre a leva para passear.

— Somos só nós dois no mundo, preciso cuidar dela.

— Eu sinto o mesmo pela minha mãe.

— O que ela vai comprar?

— Óleo para evitar estriar, uma cinta que vai me ajudar no pós-parto e uma calça de grávida. Reclamei que as minhas estão apertadas no quadril. Enfim, coisas que só uma mulher que já engravidou sabe.

Levo-a para tomar água de coco, enquanto caminhamos de volta para casa, agora o meu porteiro também a cumprimenta.

Não deixo de reparar na bunda arrebitada quando passa por mim para dentro do apartamento. O macacão de onça a deixou deliciosa de olhar, marcando cada uma de suas curvas, olho ao redor e vejo que a minha funcionária não está pelos arredores, puxo Safira para mim pelos seus quadris e, atiçando-a, sussurro:

— Planejei algo especial para essa noite. Talvez, a interrupção da minha mãe ontem tenha sido necessária, intercessão divina do jeito que ela crê.

— Ah, é?! E quais são esses planos? — Vira para mim e coloco um punhado do cabelo ruivo para trás de sua orelha.

— Planos de você ao redor do meu pau, por toda a noite.

— Acho que eu aprovo esse planejamento. — Sorri, beija a minha bochecha e o canto da minha boca, o que me faz retesar e ela percebe.

— Todas as vezes em que tivemos momentos íntimos juntos você não me beijou.

A percepção a atinge enquanto seus lábios se abrem em um "O" e os olhos questionadores estão pregados em mim.

— Você tem razão, eu nunca te beijei.

Minha confirmação faz com que ela saia das minhas mãos.

— Nem quando fizemos nosso filho?

— Liliana foi a única mulher que beijei na vida e eu prometi diante de seu túmulo que assim seria para sempre, que essa parte de mim, a mais romântica, seria para sempre dela.

Safira caminha para longe de mim, como se eu tivesse uma doença que pudesse alcançá-la, tenho suas costas como resposta, deixando-me aflito por ter essa conversa assim sem prepará-la.

Passo as mãos no cabelo, não queria ter de lhe dizer essas coisas, mas preciso ser franco.

— Você tem noção do quanto isso é humilhante para mim?!
— A acusação surge com os seus olhos marejados, odeio causar a sua dor, tento me aproximar, mas ela recua.

— Eu prometi diante de um altar, pra Deus, ser fiel, honrar minha esposa, e em poucos meses da morte dela... Eu caí na tentação da carne, eu toquei outra mulher, eu transei com outra mulher, fiz um filho! Eu envergonhei a memória da minha esposa.

— Então é isso, seu filho e eu somos motivo de vergonha pra você?!

— Não é sobre vocês dois, é sobre mim, Safira.

— Se você não quer esse filho, podia ter dito desde o começo...

— Não! — interrompo-a. — Eu o quero mais do que tudo, a culpa que eu sinto é pelas minhas escolhas, por ter me perdido, não tem a ver com vocês dois.

— Você está dizendo na minha cara que se arrepende de ter me tocado, que tudo que vivemos não passa de você tentando lidar com seu remorso.

Colo meus braços na parede, prendendo-a com meu corpo, e a encaro profundamente sendo o mais franco possível.

— Você não enxerga?! O meu maior remorso é justamente não me arrepender nem por um segundo de ter te olhado aquela noite, de ter gostado de cada segundo que nos paqueramos. Eu me senti viril como nunca, eu nunca senti nada igual quando a tive nos braços. Que eu amo cada vez que se entrega pra mim, que é carinhosa, que não tem um dia que eu não acorde satisfeito sentindo o teu cheiro na cama. O meu remorso é justamente não ter remorso!

Mesmo que minha voz tenha sido sussurrada e contida, Safira explode. Ela se desprende de mim e grita:

— Se você quer viver pra ser fiel e honrar uma pessoa morta, então faça isso sozinho, porque eu estou viva, mais viva do que nunca. Meu corpo exala vida, eu tô gerando uma! — Aponta para o pequeno ovinho em seu ventre, meu filho. — Então siga com seus fantasmas, porque eu vou viver, vou beijar, vou transar, amar e ser amada. Não quero menos do que isso pra minha vida.

— Eu quero você — assumo, recebendo sua total atenção. — Mas ainda estou lidando com o luto, com a falta da vida que eu tinha...

— Não posso insistir com um homem que não pode nem mesmo me beijar. Porque, pra mim, isso só demonstra o quanto você pensa nela, o quanto a cada vez que estamos

juntos em um momento íntimo ela está nos rondando, e eu não vou competir, não é justo comigo.
— Eu nunca quis que se sentisse competindo.
— Eu não sou religiosa, Maurice, mas sei que o juramento no altar é somente até que a morte os separe, e ela os separou. Mesmo que não seja comigo, tente seguir em frente.
Ela enxuga uma lágrima e vai para dentro do quarto de hóspedes, onde antes ela dormia.

CAPÍTULO 23

Safira

A Exposição

Pego meu celular e a primeira pessoa que penso em ligar é para a minha melhor amiga, tenho seu contato salvo na agenda, mas percebo que faz tempo que não nos falamos. Na verdade, alguns meses, o que me choca, afinal na adolescência nós nos falávamos todos os dias.

— Bela?!

— Oi, Safira! Como está? — Seu timbre soa receoso.

— Péssima, preciso descarregar um caminhão em você. Tá podendo falar?

— Sim, Safira, claro!

— Eu perdi o controle da minha vida, Bela! Estou grávida de um homem que ainda ama a falecida esposa, perdi a memória dos últimos sete anos da minha vida, não sei o que fazer daqui pra frente. Bela, estou me sentindo confusa, imatura e sei lá mais o quê. — Dou uma fungada deixando que as lágrimas caiam livremente.

— Uau! Eu ouvi especulações que você estava sumida, mas achei que estivesse envolvida em alguma nova campanha publicitária, afinal você vive em função de trabalho. Nunca imaginei isso tudo.

— Bela, porque estamos há meses sem nos falar? Eu vi aqui nas chamadas.

— Safira... — Sua respiração é audível através da linha. — Digamos que você não tem sido a melhor amiga possível, pelo contrário. Na verdade, estamos estremecidas, ainda assim eu não cogitei a ideia de não te atender.

Ficamos alguns longos segundos em silêncio.

— Não sei o que eu fiz ou deixei de fazer, mas me perdoa! Não quero nunca perder a sua amizade.

— Depois conversamos sobre isso, no momento o que precisamos é resolver as suas questões. Onde você está? Vou pedir ao Otto que me deixe aí.

— Quem é Otto?

— O pai das minhas filhas — ela diz em tom de riso.

— Espera?! E o Eduardo? Eu jurava que vocês ficariam juntos para sempre, eram tão lindos na escola...

— Longa história, Safira.

— Estou na casa de Maurice.

— Maurice... Como Maurice Tozzini?

— Como você sabe? Achei que o nome era incomum.

— E é, por isso matei a charada. Ele é primo do Otto. Por que está na casa dele?

— Porque ele é o pai do meu bebê, Maurice.

— Deus do céu! Que mundo pequeno! Faz o seguinte, me encontre em meia hora no café que te mandarei o endereço.

— Está bem. Obrigada por se importar, Bela, mesmo sabendo que tenho sido uma péssima amiga.

— Não me agradeça.

Levanto-me do chão e vou até o banheiro da suíte onde molho o rosto e novamente me assusto ao olhar no espelho. A minha barriga está começando a aparecer cada vez mais, acaricio o local, e não consigo crer que tenho um bebê aqui dentro.

A voz de Maurice soa alterada e corro para a porta, colando meu ouvido à madeira.

— Eu não vou avisar nada a ela. Safira não vai se estressar com esse assunto irrelevante, trate de desmentir. — Silêncio... Ele deve estar ao telefone, deduzo. — Não vai ter entrevista nenhuma, seu trabalho é apagar o foco de incêndio. Vire-se!

Abro a porta com brusquidão e encontro Maurice com a mão penteando o cabelo, sua mania quando está nervoso.

— O que está acontecendo, Maurice?

— Safira, você não vai querer saber.

— Conte-me! Eu sei que você deve ter bloqueado o contato da Rose no meu telefone, mas a partir de agora não quero mais esconderijos. Deixei-me saber de tudo, Maurice.

— Senta aqui — pede respirando fundo e nos sentamos juntos no sofá.

— Não tem um jeito fácil de dizer isso, até porque estou puto, mas conseguiram fotos nossas, juntos. De hoje cedo, caminhando na praia. Até o rosto da minha mãe está em todos os lugares.

— Por Deus! — Levo as mãos à boca, sei o quanto Maurice é reservado, com toda certeza essa descoberta vai atrapalhar sua rotina.

— Estão me chamando de seu *affair* e, como o seu macacão era justo, já estão especulando uma gravidez.

— Eu lamento muito pela exposição de vocês, eu vou resolver.

— Safira, não se exponha se não está pronta.

— Eu nasci pronta pra isso, Maurice. Eu sinto que além de minha profissão, é a minha paixão. E de agora em diante, eu vou cuidar da minha vida.

Dou meu veredito e volto para o quarto, sem lhe dizer mais nada.

CAPÍTULO 24

Maurice

Os Opostos

Mudei de canal mais uma vez, disperso parei em um noticiário que possuía a foto de Safira, então me ajeitei no sofá e fui ler a legenda:

Blogueira assume a gravidez em vídeo intimista.

Ela fez isso?
Rapidamente peguei meu celular e coloquei em seu canal, o último vídeo postado foi há aproximadamente vinte minutos. Na foto de capa, Safira está sorrindo com um vestido cor-de-rosa rendado, levemente maquiada. O nome do vídeo é "Maquia e fala supersincera".
Clico no vídeo e me encanto com cada uma de suas palavras, ela parece tão segura e sábia.
— *Oi, gente, como vocês estão?! Já viram no título que esse será um maquia e fala superfranca com vocês. Farei uma maquiagem levinha para a noite.* — Começa a pegar os seus pincéis e serpenteá-los por todo o rosto, com algo que ela chama de "base". — *Bem, por aqui muita coisa aconteceu nesses dias que me ausentei. Para começar, eu perdi a memória dos últimos sete anos da minha vida. Sim, parece assustador quão profundo o estresse e a ansiedade podem cavar dentro de nossas mentes, porém não quero falar de coisas ruins, hoje eu enxergo que ganhei um recomeço.*
Sorri docemente enquanto contorna o rosto com uma pasta mais escura, a qual ela chama de "contorno" e fico boquiaberto com a facilidade com que ela consegue se maquiar.

— *Estou muito consciente do meu corpo, gosto da coceira gostosa que dá nos meus olhos sempre que olho para o sol, amo como meu corpo fica disposto após minha caminhada matinal. É satisfatório comer todo dia no mesmo horário e saber a exata hora em que vou ao banheiro. Por isso, meu corpo inteiro parece funcionar como um relógio: quanto mais me sintonizo com a minha rotina, surpreendentemente, o meu corpo corresponde.*

Essa última parte me faz rir feito um bobo, afinal ela nunca admitiu que gostasse da rotina que estabeleci para ela. Ouvir de sua boca me deixa feliz, dá o sentimento que todos os esforços estão lhe fazendo bem.

— *Ah! Dentro de mim existe uma pessoa.* — Neste momento ela para com a maquiagem, apenas encara a câmera sorrindo. — *Estou gerando uma pessoa com dedinhos pequenos, fios de cabelo, um coração que bate rápido demais, um alguém que meu corpo criou e é estranho ter essa percepção. Porque, se você me perguntar como criar uma pessoa com olhinhos e fofura, eu não vou saber te dizer, mas o meu corpo sabe.*

Fico comovido com a forma como cita nosso bebê, entendo quão difícil deve estar sendo para ela ter de lidar com a gestação.

— *Por mais que eu não me sinta preparada para a maternidade, dia a dia, o meu corpo me mostra que estou. Meus seios doem, estão crescendo e criando veias, meu ventre expandindo, as idas ao banheiro mais espaçadas, meu paladar não é mais meu, o sono também não, o corpo inteiro trabalhando em prol desse novo ser. Parece incrível, não é?! Ao longo desses anos, crescendo diante das câmeras, eu sempre dividi tudo com vocês, então também estou lhes contando esse momento mágico, mas ainda recheado de confusões na minha mente. E é isso, estou me tornando mãe, me tornando consciente do meu corpo a cada dia, e te pergunto, quais as últimas percepções tem tido de si?*

E assim acaba o vídeo, no mesmo instante em que ela sai do quarto com o mesmo vestido que gravou o vídeo e a maquiagem, porém Safira possui uma sandália de salto alto nos pés e uma pequena bolsa a tiracolo.

— Aonde vamos? — implico, mas ela nem mesmo me olha.

— Não me espere acordado.

Passa por mim feito um furacão, sem sequer me provocar ou implicar de volta. Reparo a bunda arrebitada no vestido rendado que vai à altura do joelho e o meu corpo não se mantém inerte. Ele dá sinal, ainda mais depois de ter sentido o gosto de tê-la em meus braços, sabendo o quanto ela é entregue e fogosa. Só de cogitar a ideia de vê-la com outro homem, provocando-o como faz comigo, enlouquece-me. Safira desperta em mim um lado possessivo que nunca tive.

Sei que o segurança que sempre deixei disponível estará de olho nela, ainda assim me sinto na obrigação de alertá-lo para que não a perca de vista, digito uma rápida mensagem para ele, e ainda assim não consigo relaxar.

Pego-me andando de um lado a outro em minha sala, tentando imaginar onde Safira estaria indo, com quem, e o questionamento me faz enlouquecer. Algo que nunca passei com Liliana, porque ela era meu amor tranquilo, cômodo, o amor romântico. Com a Safira é algo físico e carnal, ela me tira a paz, foge totalmente do comodismo, nada com ela é calmo e convencional.

Como pude me envolver com duas mulheres tão opostas?

CAPÍTULO 25

Maurice

O Desabafo

— E se ela não voltar mais? E se ela desistir de se dar bem com você? E se ela nos proibir de ver meu netinho?

Eu juro que achei que seria uma boa ideia desabafar com a minha mãe, mas acabo ficando mais aflito do que já estava.

Ela chegou depois das compras e decidi lhe contar resumidamente a minha relação com a Safira e os últimos acontecimentos, mas parece que minha mãe pouco se importa com o fato de seu rosto estar em vários sites, dela caminhando com Safira.

— Você não tinha de ter contado a ela dessa promessa besta que você fez a Liliana.

— Eu precisava dizer a verdade — respondo de mau humor, ouvindo-a bufar.

— Você vai deixar que ela vá embora, Maurice?

— Não há nada que eu possa fazer, mãe!

— Claro que há! Casa com ela e dá um lar pro seu filho. Deus não se agracia do pecado.

— Mãe, nós dois mal nos conhecemos. Não é assim que funciona.

— E ainda assim Deus permitiu que gerassem um anjo dele, Maurice.

— Deus se esqueceu de mim faz tempo, vai ver ele não se agracia das minhas escolhas e decidiu virar a cara para mim — implico.

Ela se levanta e caminha pela sala, coça o queixo e respira fundo, em seguida me encara e acredito que virá um discurso raivoso, mas sou surpreendido.

— Ah, Maurice! Ele é generoso demais, te tirou a Liliana pelos motivos Dele, mas te deu uma nova chance, filho. Olha só como Ele te restituiu! Você tem uma mulher linda, jovem, que te ama loucamente e de brinde um filho que vai ser a luz dos seus dias. Você tem tudo nas mãos e vai jogar fora? Crie uma base sólida para que o seu filho possa pisar, a melhor forma de ensinar pro seu filho sobre o amor é amando e se dedicando à mãe dele.

— A senhora fala como se fosse fácil, foi a primeira a me julgar quando soube que transei com outra mulher tão pouco tempo depois da viuvez.

— Julguei porque não foi assim que te criei! Pra envergonhar a filha dos outros, transando sem responsabilidade e a largando com um filho no ventre, sozinha.

— Não foi assim que aconteceu, mãe! Quer saber? Esquece!

— Venha comigo, Maurice, vou te levar a um lugar para que tome a sua decisão de uma vez por todas.

Safira

O garçom serve Bela com mais uma xícara de café fumegante e bolo de coco enquanto eu preferi um bolo integral de banana. Maldita influência de Maurice na minha rotina alimentar! Mesmo preferindo um bolinho de chocolate, só de imaginar o desconforto gástrico que pode me causar sair da dieta me fez desejar o bolo de banana.

Estamos há horas conversando, ainda bem que pedi a Maurice que não me esperasse, porque estamos totalmente alheias ao tempo.

Bela me contou o que aconteceu em sua vida recentemente e desabafou um pouco dos seus problemas, e mesmo não conseguindo resolver nem mesmo a minha vida, tentei aconselhá-la. E agora que é a minha vez de lhe contar as minhas cruzes, ela que é a conselheira, e amo a nossa relação assim do jeitinho que é.

— Na real, eu acho que estou muito apaixonada por ele, e queria muito que ele me amasse.

— E o que é amor para você, Safira? Como você imagina que um homem deve amar? — minha amiga pergunta enquanto adoça seu café.
— Pelo que vi dos meus pais o amor é abdicação, dedicação, carinho...
— Você não o acha carinhoso com você?
Paro para refletir com a pergunta, lembro-me de todas as noites em que dormimos juntos, todo seu cuidado comigo desde que o vi a primeira vez na clínica...
— Maurice é preocupado com o meu bem-estar, cuidadoso com tudo ao meu redor — confesso.
— Então ele não falha na dedicação, não é?
— Não, disso não posso reclamar.
Como um pedaço do bolo e imagino o quanto Maurice estaria orgulhoso se me visse comendo de forma saudável, mesmo quando tenho a opção de não fazê-lo, a verdade é que ele está em minhas veias, não há nada que não faça eu me lembrar dele.
— Acredita que ele não abdica das coisas por você? — Olho-a, confusa. — Quero dizer, Maurice morava sozinho e abriu mão da privacidade para te ter vinte e quatro horas do dia com ele. Otto vive reclamando do fato dos dois estarem em expansão nos negócios e Maurice estar trabalhando mais em casa, priorizando você ao trabalho...
— Eu acho que ele faz essas coisas pelo bebê, porque ele o ama e quer muito esse filho.
— Você comentou que ele cortou que você tivesse contato com a sua empresária, ele a levou para rever a sua mãe, se preocupa com a sua rotina, respeitou seu tempo para ir à obstetra.
— O que você tá querendo dizer, Bela?
— O óbvio?! — Ela dá um gole em seu café e em seguida, com calma, pousa a xícara na mesa me encarando com os grandes olhos castanhos. — Só estou tentando te fazer enxergar que o amor pode ir além do amor romântico, da família perfeita e feliz, que você tanto idealiza. Talvez você coloque os seus pais em um pedestal inexistente. Hoje, como mãe, eu posso dizer com propriedade quantas coisas escondo, Otto e eu não deixamos chegar às crianças, quantas dificuldades na relação passamos, desentendimentos. Também devia ser assim com os seus pais porque não é fácil para

ninguém, casamento, filhos, tudo isso não vem com um manual de instrução, mas sempre tento mostrar o meu melhor lado para as crianças, mesmo quando tô no meu pior momento.
— Nossa, Bela!
— Sabe o que eu vejo de fora? O Maurice te ama, mas ele também está se curando, e ainda assim largou das feridas dele para cuidar das suas. Talvez seja o momento de você se esquecer das suas dores e olhar para as dele também, Safira. Meu pai viveu por anos o luto pela esposa, sua mãe quase definhou, Maurice também deve ter as suas batalhas.
— Você faz parecer que eu sou egoísta por cobrar dele esses sentimentos — observo, engolindo em seco.
— Mas eu não disse nada disso. — Pisca para mim.
— Você acha que devo lutar por ele, Bela?
— Cabe a você decidir pelo que lutar e o que deve deixar ir, apesar de ele ser o pai do seu bebê, e vai ser para sempre, então pense com cuidado.
Então, a mim cabe decidir pelo que lutar e o devo deixar ir, faz muito sentido.
Recebo uma mensagem em meu celular de Maurice e, ante de abri-la, tenho as mãos trêmulas e o corpo ansioso.

Vai dormir em casa? Quero conversar com você.

Em casa, ele fala como se o apartamento fosse nosso quando na verdade é apenas dele, e isso me comove demais, então está na hora da luta, Maurice.
Respondo:

Sim, já estou a caminho.

119

CAPÍTULO 26

Maurice

A Espera

— Eu disse a Bela que quero conhecer suas meninas, quero que elas sejam amigas do meu bebê, assim como nós duas sempre vivemos grudadas — diz entrando em casa, sorridente.

Ao menos está com o humor melhor do que quando saiu.

— Isso é bom!

— Maurice, você tem noção de que sou a melhor amiga de Bela Salazar? — indaga, então tenho a percepção de que ela está se referindo à mulher do meu primo e sócio. — Pois é, mundo pequeno, não é?!

— Realmente, muito pequeno.

— Nossa, senti enjoo durante todo o trajeto de volta, e passou assim que passei pela porta. Acho que o bebê queria voltar para casa o quanto antes — brinca, sentando ao meu lado no sofá.

— Eu senti falta dele, e de você, o apartamento parece vazio demais — digo com toda franqueza, arrancando um sorriso dela. — Podemos conversar?! — pergunto acariciando seu ventre protuberante.

Ela concorda permanecendo sentada e contida ao meu lado, diria até dura demais em sua postura.

— Depois que trocamos olhares, por minutos a fio, eu fiquei me sentindo inseguro, nunca paquerei antes, então decidi chegar perto de você apenas pra dizer que não estava disponível, mesmo que meu pau discordasse. Fiquei duro no momento em que senti seu olhar no meu — confesso. — Assim que me aproximei, eu senti seu cheiro doce e... Nossa! Eu fui a nocaute. Seus lábios estavam pintados de rosa e... Caramba! Eu estava louco pra te beijar e sentir o seu gosto, nunca desejei uma mulher que não fosse Liliana, e aquele tesão me assustou pra valer.

— E eu correspondi?

Vira-se em minha direção, instigada e curiosa acerca da noite em que nos conhecemos. Os olhos verdes intensos e atentos em mim.

— Você fez o que sabe fazer de melhor, me provocou.

— O que eu fiz? O que eu fiz?

Bate palminhas sorrindo igual criança e eu sorrio quando a vejo colocar as pernas no sofá, mais à vontade, como costuma ficar.

— Dançou se esfregando em mim e, pronto, foi o fósforo riscado na gasolina. Como sempre é entre nós. — Sorrio ao lembrar. — Começamos a nos esfregar descaradamente, não sei como não fomos expulsos por atentado ao pudor — brinco. — Você tocou em meu pau e eu avistei um canto escuro, decidi te levar pra lá, pra gente conversar melhor. Você pegou o celular do meu bolso e eu o desbloqueei, assim trocamos nossos números e nos apresentamos, apenas pelo nome, tudo muito rápido e afoito.

— Uau! Então eu realmente estava interessada. Eu sabia! — Rimos os dois.

— Voltamos a dançar no canto escuro, nos esfregando de forma mais perigosa agora, sua mão resvalava em meu pau, a minha acariciava seus mamilos, você gemia ao meu ouvido e eu chupava seu pescoço, sem qualquer prudência. Enfim, realmente como sempre é entre nós.

— Parece ter sido gostoso.

A mordida que ela dá nos lábios me arrepia. Como a desejo insanamente!

— E foi, muito! Eu te fodi por trás, de pé, nunca transei de forma tão rude e suja. Sensual pra caralho! — Quase rosno as palavras.

— Por que está me contando isso?!

— Por nenhum motivo. Você sempre pede pra saber dos detalhes, eu quis contar.

— Eu gostei de saber, amei ver como me enxergou sensual, sendo uma mulher que sabe o que quer.

— Quer repetir a dose?

— Do que está falando? Quer me levar para a boate e transar em um canto escuro? — sugere com um sorriso pecaminoso nos lábios.

— Não, mas quem sabe criar uma nova memória acerca da sua primeira vez.

Levanto-me e lhe ofereço a mão para que pegue, mas ela parece ainda receosa.

— Eu quero segurar na sua mão, Maurice, mas preciso saber... E a sua promessa?

— Quando Liliana morreu, eu não fui ao velório, apenas paguei tudo e sua família se encarregou de velar seu corpo e sua alma. Eu não fui, não conseguiria ir e atestar sua morte, afinal eu já tinha de lidar com a impotência de vê-la morrer em meus braços.

— Eu sinto muito.

— Minha mãe me levou ao túmulo de Liliana hoje. Eu vi sua lápide, a foto que a família escolheu, a frase... Odiei estar lá, foi sufocante. Colocamos flores frescas para ela e fizemos uma prece em sua intenção. O cemitério é um lugar incômodo, com gosto de final, impotência. Afinal, o ditado popular diz: só não tem jeito pra morte. E é a verdade, é desconfortável demais pensar que, ao pé da letra, a morte significa o fim da vida.

— Maurice...

— Aqui, com você, eu tenho vida. — Toco em seu rosto e ela se contorce querendo mais. — Aqui eu tenho alguém lutando pela vida. — Com a mão livre eu toco seu ventre. — Aqui eu tenho o começo da vida, dá pra dar um jeito, dá pra recomeçar, é o princípio da vida. Você é o renovo, Safira, em todos os aspectos.

— Eu também quero dar um jeito, Maurice.

Noto comoção em sua voz e fico tranquilo por não ser o único sentindo o mix de emoções.

— Eu não quero viver no cemitério, me manter sozinho e fiel a algo que teve seu fim, Deus quis que tivesse fim, então ele fez o novo em minha vida e eu quero recomeçar com você, Safira.

— Eu estava disposta a lhe dizer que não vou desistir de você, de nós, que eu esperaria seu tempo de viver seu luto. Justo eu, tão tomada pela ansiedade, esperaria por você, Maurice.

Ela segura a minha mão enquanto se levanta. Junto nossas testas e a vejo fechar os olhos.

— Eu enterrei minha aliança, enterrei as fotos que possuía com ela, agora só me restam as lembranças. É preciso deixar ir para o novo entrar, então seja bem-vinda! — digo com honestidade e recebo o seu sorriso de volta. — Minha mãe foi embora, estamos sozinhos em casa.

— Então podemos cometer os nossos pecados em paz — caçoa.

— Não há pecado aqui, Safira. Vocês são minhas bênçãos.

CAPÍTULO 27

Safira

A Bênção

Maurice segurou a respiração assim que minha boca avançou na sua, assim que se recuperou, forçou meus lábios a se afastarem para receberem em seguida a sua língua quente, sua mão apertou a minha cintura e tive minhas costas contra a parede.

Ele parecia ter tanta vontade que não havia cautela, gemeu em minha boca, segurou-me pelo rosto e ditou todo o ritmo do nosso beijo, e apenas fui massa de manobra em suas mãos, doente de tesão para receber tudo que ele quisesse me dar.

Enfiei as minhas mãos por dentro de sua camiseta, sentindo a pele firme dos seus gominhos da barriga, então, ofegante, ele recuou.

— Isso não está do jeito certo.
— Maurice... — Ofeguei em desespero, louca por mais.
— Venha. — Segurou a minha mão e praticamente me arrastou para o corredor.

Quando ele abriu a porta do quarto segui atrás, mas logo retrocedi um passo, assustada, com todas as luzes apagadas e todo o cômodo iluminado com um caminho reto de velas no chão, a trilha tendo começando na porta do quarto e tendo fim nos pés da cama de casal.

Levo as mãos à boca, emocionada, e Maurice dá o play, a melodia suave ressoa no quarto. Assim que estou dentro o vejo de costas para mim, olhando para a janela com as mãos nos bolsos da calça jeans.

Na sua cama possuem pétalas de rosas brancas espalhadas pelo jogo de lençol cinza.

— Uau! O que é tudo isso? — questiono, atônita.
— Sou eu criando uma nova memória da sua primeira vez — diz de perfil, assim na penumbra ele parece ainda mais sensual.
— Maurice, você ajeitou tudo isso para mim?
— Só se você quiser, é claro!
Olho ao redor, sentindo seu cuidado, lembrando da minha conversa com a minha melhor amiga. Maurice preenche todos os requisitos do que considero como o amor ideal, como não enxerguei antes?
— Eu quero, eu quero tudo com você, senhor mandão — implico e agora o tenho virado para mim, com um sorriso zombeteiro nos lábios.
— Então, siga a minha ordem e venha aqui, senhora provocadora.
Caminho até ele até ficarmos a um palmo de distância, consigo inalar seu cheiro tão único e sensual, sua respiração errática faz os meus cabelos balançarem, e não demora até que ele tenha suas mãos sobre mim, dedilhando a minha bochecha.
— E se eu não aceitasse? — pergunto, com uma curiosidade pungente.
— Eu ia jogar com a carta poderosa que possuo — sussurra enquanto sua boca se aproxima da minha orelha.
Arrepia-me inteira com o contato e quase não consigo de forma audível perguntar:
— Qual?
— As duas semanas em que posso mandar em você — brinca, chupando o lóbulo da minha orelha em seguida, apoio minhas mãos em seu peitoral e seu corpo me ampara.
— Maurice. — Dou-lhe um tapinha leve, sorrindo.
— Eu sabia que tinha o risco de você não aceitar, mas decidi jogar com a sorte. Ou melhor, com a fé.
Acho que agora finalmente vamos começar a nos entender.

CAPÍTULO 28

Safira

A Escolha

— Eu também, Maurice, me beija? — peço sussurrando, desesperada.
— Pretendo fazê-lo a noite toda, querida.

Ele deslizou a mão pelo meu rosto e magicamente meus lábios se afastam, minhas mãos se enfiam em seu peitoral e, aflita para ter contato direto com sua pele, tiro a blusa de dentro da calça jeans. A pele de Maurice arrepia quando arranho levinho sua barriga sentindo o umbigo, os pelos aparados, a firmeza de seus músculos, e ele me permite tocá-lo e senti-lo.

— Você é tão linda, tão feminina, tão minha — fala enquanto desliza a alça do meu vestido pelos meus ombros.

Arrastou a boca molhada pelo meu pescoço, ofego sentindo suas mãos esmagarem os mamilos duros recém-expostos, sua boca exige a minha em uma beijo faminto que me deixa derretida em seus braços.

— Eu *tô* louco para sentir a sua boceta apertada mais uma vez, minha provocadora.

Maurice desliza o vestido pelos meus quadris levando a minha calcinha junto, colocando-me nua à sua frente, e ele dá um passo para trás, olhando cada pedaço meu.

— Na única vez que a tive, estávamos de roupa, e eu perdi a melhor parte. Olhe para você, parece uma pintura.

— Maurice... — Tento dizer algo coerente, mas ele enfia sua mão entre as minhas pernas, sentindo toda a minha lubrificação, eu já estou vergonhosamente melada por ele.

— Você é tão fogosa, Safira! Olha como meu pau vai deslizar fácil para dentro — diz no mesmo instante em que desliza um dedo para dentro da minha boceta.

Seguro em seu ombro e mordo meus próprios lábios, sentindo a deliciosa intromissão.

— Que gostoso, Maurice... — gemo enquanto o entra e sai de seu dedo me faz rebolar, desejar mais, mordê-lo, arranhar sua pele, insana.

— Você quer gozar, querida?! Eu te ajudo.

— Eu quero tanto você, Maurice.

— Eu *tô* sentindo, sua boceta tá engolindo meu dedo inteiro, meu raio de sol. Vem, deita na cama, vou te dar um orgasmo.

Obedeci, completamente desesperada enquanto o vi tirar cada peça de roupa. Meus olhos se arregalaram no momento em que vejo o volume que guarda sua boxer. Eu o senti excitado na hidromassagem, eu o coloquei inteiro em minha boca no cinema, e sei a grossura exacerbada, mas estava apreensiva para senti-lo em um lugar tão sensível.

— No que está pensando?

— Se realmente cabe tudo isso em mim.

Ele deitou na cama, ficando em cima de mim, e sussurrou no meu ouvido:

— Cabe tanto que te fodi profundo, enterrando meu sêmen na sua boceta apertada, deixando o meu bebê aí dentro.

— Maurice...

— Pare de me provocar que eu paro também, querida.

— Nunca!

Afasto as coxas para lhe dar espaço e, por cima, ele coloca a ponta de seu pau em minha entrada, enquanto seu dedo esfrega meu clitóris, fazendo-me prender a respiração enquanto meu corpo arqueia no colchão.

A carícia é branda e enlouquecedora, meu corpo está sensível demais e meu desejo é que Maurice empurre de vez seu pau para dentro, aumente de vez a fricção em meu clitóris. Empurro o corpo em sua direção, exigindo mais dele.

— Vai continuar me provocando? Seja uma boa menina obediente, que te darei o que quer.

Gemo em frustração, e respiro fundo tentando acalmar meu corpo.

Assim que fico parada, seu toque é mais duro e ágil, fazendo-me gemer sem qualquer controle, com as pernas totalmente abertas, o corpo inteiro entregue, mole, o orgasmo me atinge enquanto sinto Maurice chupar meu pescoço, seu pau se lambuzando em minha entrada e seu dedo esfregando meu clitóris, sua mão amassando meu mamilo... Ele está em todo lugar.

Enquanto volto da órbita, sinto a língua de Maurice percorrer toda a minha boceta melada, sugando cada gota de excitação que eu libero, rebolo em seu rosto latejando pelo recente orgasmo e ligada demais na destreza da sua língua, é quando eu decido revidar.

— Deixe-me provar você, Maurice — peço, ofegante.

Ele me encara por um segundo, aceitando meu convite em seguida, saindo de cima de mim, deixando que eu comande. Apoio minhas mãos em sua coxa e olho para cima vendo Maurice emaranhar seus dedos em meu cabelo, alcançando meu couro cabeludo

Começo beijando as suas coxas, lambendo ao redor do seu pau, deixando-o louco até que seu aperto intensifica. Maurice rosna quando a ponta da minha língua toca a pele quente da sua glande e arqueia o corpo quando me vê lamber os lábios levando o gosto do seu pré-sêmen para dentro.

É difícil levá-lo por inteiro, grosso demais, mas a cada tentativa minha recebo sons animalescos que me atiçam ainda mais, deixando-me doida para tê-lo garganta adentro.

Maurice assume o controle estocando em minha boca, quanto mais eu engasgo mais ele se sente instigado a meter mais fundo. Meus olhos lacrimejam, a boca dói, a garganta fica irritada, mas nada me impedirá de levar todo meu homem.

Quando tira o pau da minha boca, eu sou uma bagunça, cabelo grudado no rosto que está pegajoso e vermelho, fios bagunçados, e o olhar tomado de desejo por mais.

— Maurice...
— Não, hoje eu vou gozar dentro da sua boceta apertada a noite inteira.

Puxa-me com força na cama, ficando novamente por cima, sua boca me beija duro, nossos gostos se misturando, sua língua chupando a minha. Sugo seu lábio inferior e, por fim, eu o abraço, queria que esse momento tão nosso nunca tivesse fim.

— Eu quero me lembrar disso pra sempre. — Quase faço uma prece aos céus, porque essa é a verdade.

— Eu vou cuidar para que nunca esqueça, meu raio de sol.
Maurice encaixa a ereção pesada em minha boceta molhada, latejo em antecipação, tão desejosa que quando o sinto deslizar estreito para dentro de mim, arfamos juntos.
— Tão apertada, porra! — Maurice dá um soco na cabeceira enquanto rasgo sua pele com as minhas unhas.
Fecho os olhos não suportando a intensidade da nossa junção, lentamente suas estocadas me fazem gemer enquanto seus rosnados preenchem o quarto, mas quando o ritmo aumenta eu grito sentindo Maurice tão profundamente. Sinto suas bolas batendo em minha bunda, a pelve socando a minha, com o vai e vem esfomeado. Minha boceta arde por levá-lo tão grande e bruto, seus beijos exigentes me levam à beira do precipício. Dor e prazer me tornam febril de tesão.
— Ai, Maurice... Você vai me rasgar ao meio.
— Isso é para você aprender a parar de me provocar.
— Isso nunca.
Ele se levanta e puxa meu quadril para fora da cama, arreganha minhas pernas e de pé volta a me penetrar. Essa posição me fez tomá-lo ainda mais profundamente, a dor dilacerante, a minha lubrificação deixando tudo mais intenso e gostoso, meus sentidos confusos enquanto ele me leva ao inferno para em seguida me dar o céu.
O prazer insano de senti-lo assim, inteiro, me fez revirar os olhos, o orgasmo vindo feito um trem desgovernado, agarro os lençóis e grito, convulsiono, o corpo inteiro sente o fervor.
— Porra, Safira! — rosna.
Estou tão sensível que consigo sentir os jatos de sêmen sendo disparados, sendo engolidos pela minha boceta completamente dolorida.
Prendo sua boca na minha, enquanto nos beijamos com paixão, ofegantes, suados.
— Eu não vou sair de dentro de você, nunca.
— Eu não quero que saia.
— Você nunca vai parar de me provocar?
— Nunca!

CAPÍTULO 29

Safira

O Sentimento

Tento mover meu corpo quando ouço a porta ser aberta, mas estou completamente dolorida depois de ter Maurice dentro de mim a noite inteira, seja me chupando ou comendo por cima, tendo o total controle de como e com qual intensidade fazia.

O quarto ainda cheira a sexo, suponho que a roupa de cama seja trocada depois de tantos fluídos trocados, o cheiro de Maurice entranhado na minha pele.

— Bom dia!

— Por que você está bonito e disposto? Que injusto! — reclamo quando o vejo entrar de terno e gravata, com meu café da manhã em uma bandeja.

— Vou ser bonzinho e não vou obrigá-la a caminhar hoje, pode descansar.

— Você não tem nada de bonzinho, Maurice Tozzini, apenas está se sentindo culpado por ter me devorado feito um cordeiro.

— Engraçado, cordeiros não gozam enquanto estão sendo devorados. Ao contrário de você, que parecia bem receptiva ao ser devorada pelo meu pau, pela minha boca e pelos meus dedos.

— Maurice... — gemo sem qualquer pudor, desço a colcha pela minha barriga expondo meus seios nus.

— Provocadora — acusa passando a ponta gelada de seu indicador no meu mamilo, deixando-me arrepiada.

— Você tem mesmo de sair hoje? — mio, dengosa.

— Tenho, mas prometo que venho para casa o quanto antes.

— Nem um pouco de atraso?!

Sim, eu estava dolorida, e ainda assim, quero muito mais disso.
— Deixa de ser gulosa, Safira! Mais tarde eu te faço gozar muitas vezes, querida.
— Então, vou esperar ansiosa.
Recebo um selinho casto seguido de um beijo demorado e uma carícia suave em minha barriga, que me faz derreter.
Depois que ele se vai, demoro ainda a me recompor, mas consigo me levantar e tomar um banho quente, lavar o cabelo e em seguida escová-los.
Ligo a câmera e gravo um tutorial de maquiagem simples para o dia a dia, conversando animadamente com a câmera de última geração que possuo, e assim que termino a gravação decido ligar para Rose, que atende ao primeiro toque.
— Como está a repercussão do vídeo?
— Excelente, Safira, o que já apareceu de contratante querendo patrocinar até a alma do seu bebê não está no gibi. Já estou selecionando as melhores marcas para fecharmos parceria, se prepara porque esse bebê vai render rios de dinheiro.
Sua fala me incomoda, como se meu filho fosse um produto, uma coisa, quando na verdade ele é um ser indefeso que só tem a mim e ao pai para protegê-lo com unhas e dentes. Cresce dentro de mim um instinto de proteção e posse que nunca tive, meu tom se altera, a voz se abala quando respondo à empresária.
— Não vou expor meu bebê, Rose. Essa vida pública eu escolhi para mim, não é justo com meu filho que...
Sou cortada de imediato.
— Safira, essa criança é pública você querendo ou não. Melhor você expor do que gerar ainda mais curiosidade da imprensa, que não vai te dar paz querendo uma exclusiva.
— Não me importo com a imprensa. Estamos falando do meu filho, não, das minhas maquiagens.
— Tudo bem. Vou falar com mais jeito da próxima vez, mas não seja tão irredutível.
— Preciso pensar a respeito.
— Pense rápido.
— Te liguei para falar que tenho pensando em alimentar o canal com mais vídeos de maquiagens, dicas, como sempre fiz.

— Excelente! Use e abuse da sua criatividade, depois envie tudo para o Marcelo, que faz suas edições de vídeo. Também tem a Juliana, que cuida da estética por trás, pode gravá-lo no seu estúdio. Ah! Não se esqueça de passar suas ideias para o John do *marketing*, ele pode ajudá-la.
— Uau! Eu pensei em apenas gravá-lo bem simples e postar.
— Isso não vende, querida. Seu público está acostumado a excelência de imagem e estética, nada que pareça caseiro.
— Mas isso não soa falso?
— Ninguém gosta da verdade, Safira.
Reflito por alguns segundos. De fato reparei que meus vídeos mais elaborados são os mais acessados, nos que estou sorrindo no meu *closet*, mostrando uma vida falsa, porque na real estava me entupindo de remédios ansiolíticos. Rose tem razão, talvez ninguém goste da verdade, talvez ela não venda.
— Me manda o endereço desse estúdio, quero conversar com a equipe para ficar a par dos conteúdos que eles esperam de mim para refletir sobre o que fazer daqui em diante.
— Excelente, estou te enviando agora, e em dez minutos um carro chega aí para buscá-la.

O encontro com a equipe foi divertido, todos sabem da minha perda de memória devido ao vídeo que postei, então tentaram me ajudar a relembrar de fatos importantes com cada um deles. Porém, por mais que eu me esforce não consigo lembrar, é como se fosse uma vida que eu nunca vivi e reparei que todos falam e gesticulam de forma acelerada, como se o tempo valesse ouro.
— Safira, o que acha deste blazer para o próximo vídeo? E essa bota? Vai ornar com a proposta do vídeo de "ideia de looks para o inverno".
— Não sei se gosto... — Olho com desdém para a bota com um salto gigantesco. — Poderia ser algo menos extravagante. Ando menos ousada ultimamente.
Não mais que de repente Rose se aproxima e sussurra em meu ouvido:
— Ele insistiu em vir te buscar.
Giro o pescoço para a direção da porta e encontro Maurice com as mãos nos bolsos, olhando tudo ao redor. Para o cenário

de cores quentes simulando um quarto feminino com itens fofos, as câmeras posicionadas, no canto a grande mesa de reunião com salgadinhos e refrigerantes que foram servidos, e vejo a ruga em sua testa se formar.

Caminho até ele sorrindo. Como é bom vê-lo e ter a sensação de lar, de pertencimento! Toco em seu ombro e finalmente tenho os olhos azuis recaindo sobre mim.

— Aposto que você não se alimentou bem durante o dia... — É a primeira coisa que ele diz, no entanto, tem total razão, não comi absolutamente nada além de uva ou maçã.

— Não brigue com ela, Tozzini. — É Rose quem diz. Até mesmo me esqueci dela ou que estamos em público, parece que há apenas ele e eu. — Vamos encontrar um meio termo então. Com Safira voltando ao trabalho me envie o cardápio que eu cuido para que ela coma tudo nos horários certos.

— E o horário da manhã tem as caminhadas e o sol que ela precisa tomar. Isso é inegociável — avisa de mau humor.

— Por mim, sem problemas, temos um acordo — confesso, mas então ele segura meu rosto em suas mãos.

— Tem certeza de que quer isso assim?! — questiona olhando ao redor.

— Tenho, Maurice. É o meu trabalho e a minha paixão, eu praticamente cresci na internet.

— E as viagens, Safira? Temos algumas pela frente — Rose comenta, roubando nossa atenção.

— Não me sinto segura ainda para ficar assim tão longe do Maurice. Desmarque todas, por favor! — peço totalmente sincera e convicta, afinal de contas ele é o meu porto seguro, o melhor amparo e não estou pronta para ir.

Vejo Maurice sorrir de lado, aprovando a minha resposta.

— E Safira também tem terapia durante a semana — ele diz.

— Está bem, eu dou um jeito. Todos felizes e satisfeitos?

— Sim. Obrigada, Rose!

— Imagina, não tem o que agradecer, esse é o meu trabalho, te deixar feliz e satisfeita, querida.

Eu a ignoro por completo e foco a minha atenção no homem à minha frente, de terno e gravata como o vi de manhã, roubo dele um selinho e me envolvo em seu abraço.

— Senti sua falta — confesso.

— Odiei cada minuto longe de você, ou melhor, de vocês — diz acariciando minha barriga.

— Como foi seu dia, Maurice?
— Exaustivo, ainda bem que agora tenho você aqui.
Sou envolta em seu abraço de urso e inalo seu cheiro de roupa limpa como uma viciada.
— Senti falta do seu cheiro — confesso.
— E eu do seu corpo assim colado no meu.
— Ótimo, é pra sentir falta mesmo, senhor Tozzini.
Ao longe vejo a minha empresária nos estudando com curiosidade e é quando me desfaço do abraço e decido que devemos ir embora para fugir do olhar especulativo de Rose que, silenciosamente, faz perguntas que não sei responder e isso me incomoda.

CAPÍTULO 30

Safira

O Controle

Cheguei ao apartamento desesperada por um banho, não senti paz nem mesmo enquanto lavava meu cabelo que sempre foi algo terapêutico para mim, nada abrandou a agitação da cabeça fervilhando de ideias e meu corpo doía, reclamando do cansaço do dia.

Ainda de roupão felpudo sequei o cabelo rapidamente no secador, ainda estava impaciente, e não demorei a seguir para a cozinha, onde o cheiro do frango ensopado me fez refém. A funcionária de Maurice, antes de ir embora, deixou a mesa posta para nós e não fiz cerimônia colocando a salada de legumes cozidos no vapor enchendo o meu prato, enquanto ele já havia começado a sua refeição, mas me observava com a testa franzida.

— Coma devagar! Fale sobre os ingredientes, o tempero de cada item do seu prato — exige, e fico irritada com seu jeito controlador.

— Maurice, estou faminta!

— Anda! Mastigue devagar e fale.

Inegociável, uma palavra muito usada por ele e que agora, mesmo que não a profira, sei que é essa a questão. Maurice é muito controlador e isso algumas vezes me tira do eixo.

Precisei respirar fundo para acalmar meu corpo e não mandá-lo ir à merda. Mesmo com raiva comecei a fazer o que me ordenou, ainda que a minha mente ordenasse que eu comesse de uma vez sem prestar atenção em nada.

Assim que lhe disse cada um dos temperos usados me senti muito mais calma e até mesmo saciada, pegaria o celular, mas Maurice me detém.

— Safira, usar essa tela com luz branca à noite é um perigo! Excita nosso cérebro impedindo que tenhamos um relaxamento para a noite de sono. Que tal evitar?

Gosto que dessa vez ele deu uma sugestão, deve ter percebido que seu tom autoritário me irrita, então me deixo levar, já que ele também está se esforçando.

— Tudo bem, eu só queria ver se mamãe mandou foto de sua caminhada matinal, ela anda bem animada.

— Fico feliz que ela esteja bem.

Comemos em um silêncio sepulcral e, assim que termino, saio da mesa ouvindo de Maurice que ele cuidaria de retirá-la.

Julgando que precisava refrescar a cabeça, caminhei para a suíte de hóspede onde eu deixava parte das minhas coisas e comecei a fazer minha higiene. Aproveitei para prender o cabelo, mas logo tive a minha cintura envolta por braços grandes.

— Acho que você errou de quarto.

— Maurice, só vim...

— Não! Seu lugar não é aqui.

— Tudo bem, então me leve para onde me quer.

Dou um gritinho assustado assim que tenho minhas coxas em suas mãos e os pés retirados do chão, Maurice ampara a minha coluna e me leva em seu colo, onde recosto a cabeça em seu ombro, e nos leva para dentro de seu quarto.

— Hum, então é aí que me quer?

— Não, eu te quero subindo e descendo no meu pau — sussurra me colocando com delicadeza em sua cama, no exato lado que sempre durmo.

— Você sempre consegue o que quer de mim, senhor mandão.

Maurice desfaz o laço do meu roupão e passa os dedos frios pelo meu dorso nu, arrepiando-me.

— Estão crescendo, ficando mais escuros, se preparando para o nosso bebê — diz acariciando os meus seios. — Você acha que é diferente comigo?! Você abusa de mim, meu raio de sol, mesmo depois de um dia exaustivo de trabalho eu não consigo ficar sozinho em casa e preciso ir te buscar, ver como está, garantir que está bem.

— Então me beija, Maurice.

— A noite inteira, Safira.

CAPÍTULO 31

Safira

Os Esforços

Ele para a um palmo de distância dos meus lábios.
— Por que foi para o outro quarto?
O biquinho de pura insatisfação que ele faz de forma inconsciente me faz segurar o riso.
— Porque estava chateada, as suas ordens e...
Seu indicador toca em meus lábios, calando-me.
— Safira, eu quero o seu bem e não vou medir esforços para isso. Você chegou do trabalho em um nível alto de ansiedade, estava permitindo que ela a consumisse, eu a tive convulsionando em meus braços por causa dessa doença e se depender de mim, mesmo que fique irritada, vou continuar te protegendo e exigindo que se cuide.
— Foi bonito o que disse.
Nós nos entreolhamos e consigo enxergar quão puro ele é comigo. o cuidado, mesmo que exacerbado, talvez entre na forma de amor não romântico que conversei com Bela. Chego à conclusão de que a sua proteção, ou o excesso dela, é uma forma de demonstrar amor.
— Foi sincero. Agora, vou matar o desejo doido que estou o dia inteiro.
Com beijos lentos em meu pescoço, Maurice me envolve rapidamente em sua névoa de prazer.
— Qual é?!
— Preciso construir novas memórias na sua cabecinha linda, para que ela nunca mais se esqueça de mim.
— Nunca, Maurice.
— Vou me assegurar disso, Safira.

Abro as minhas pernas acomodando a excitação protegida pela cueca, enquanto ele me beija a boca de forma tão faminta como se quisesse compensar todo o tempo que se privou de atar nossos lábios.

Perco o fôlego, tomada de paixão por esse homem que desperta o melhor e o pior em mim, que me controla e exige com severidade e ainda assim deixa claro que não existe ninguém no mundo capaz de cuidar de mim tão bem quanto ele.

Pode ter sido coincidência, acaso, destino ou o Deus que a mãe dele tanto acredita com devoção, mas eu escolhi o melhor homem para ser o pai do meu bebê.

Quando Maurice me puxa pelo colchão, pondo-me de quatro, com a bunda para alto totalmente exposta para seu olhar, sou tomada por um misto de vergonha e tesão, no entanto provando que a vergonha não cabe entre nós, choramingo quando sinto sua boca passear molhada pela minha coluna. Centímetro a centímetro se aproxima do lugar que mais pulsa em meu corpo, aperto a fronha gemendo loucamente, sedenta por tudo que ele me faz sentir. Sua barba curta arranhando a minha pele, suas mãos emaranhando em meu cabelo, segurando-o no alto em um rabo de cavalo que ele controla, como tudo ao seu redor.

Quando a sua língua invade as minhas dobras, surpreendo-me com quão gostoso é senti-la brincar com a minha bunda. O lugar que até então ele nem sequer tinha tocado agora é o alvo do seu ataque, a língua serpenteia me penetrando ali e rebolo, excitada demais com a invasão.

Sentindo o quanto estou receptiva, Maurice me penetra lento me fazendo sentir cada palmo de seu membro quente e grosso. Grito, sentindo-me rasgar por dentro, mesmo lubrificada ele parece ser sempre grande demais para que eu dê conta.

— Porra, Safira, você é tão apertada! — rosna com a voz rouca e a respiração errática, e isso me faz derreter de desejo.

Quando inicia as estocadas estremeço, senti-lo assim tão profundo é delicioso, batendo em um ponto dentro de mim que me faz soluçar, as lágrimas rolarem sem controle. O tapa estalado que recebo na bunda me faz voltar à órbita e desejar que esse momento nunca tenha fim.

Dos pés à cabeça me arrepio sentindo um choque de prazer tão intenso que choro, agarro os lençóis mesmo perdendo as

forças e o controle do meu corpo, o orgasmo me levando inteira, arrebatada, desesperada, pulsando.
— Você está me matando, Safira, com tanto aperto.
Perdendo o controle, Maurice emite um som animalesco enquanto jorra dentro de mim, o gozo deixando a nós dois desorientados e pegajosos.
— Meu Deus! — É a única coisa que sou capaz de dizer, respirando profundamente.
Ele apoia a testa em meus ombros, e mesmo quando sai de dentro de mim, ainda o sinto.
— Você gostou muito assim de quatro, né?! Vamos testar ainda muitas posições, provocadora.
— Parece que gosto, mas você pareceu gostar bastante também.
— O seu prazer eleva o meu em um nível incontrolável, raio de sol, tenho de me segurar a todo tempo.
— Não se controle comigo — peço.
— Temos um bebê aí dentro, não posso esquecer.
— Por falar nisso, eu quero ir ao médico, Maurice. Quero encarar essa gravidez, deixar o medo de lado e seguir.
Dar conta do trabalho, ver o quanto sou capaz de aprender rapidamente tudo que me disponho a fazer me encheu de coragem, principalmente para meu maior desafio pessoal: a maternidade.
Preciso saber o que está por vir nessa gestação e, quando o bebê de fato nascer, não adianta ficar aqui escondida vendo a barriga crescer e o corpo mudar sem saber o que mais está por vir.
— Sábia decisão, Safira. Vou garantir que tenhamos uma consulta o mais breve possível.

CAPÍTULO 32

Safira

O coração

A última semana passou como um borrão. Tenho trabalhado diariamente com a minha equipe, fiz viagens de curta distância e com poucas horas de ausência tendo todos os dias Maurice como o meu motorista, buscando-me e levando direto para casa, jantamos e dormimos juntos, deixando convenções e rótulos de lado, seguindo apenas os nossos sentimentos.

— Venha, somos os próximos! — Sua voz interrompe os meus pensamentos e respiro fundo criando coragem.

Percebo que tenho os dentes cravados nos lábios retirando alguns pedaços de pele e estalo os dedos freneticamente. Levanto-me da cadeira onde me mantive cimentada desde que chegamos nesta recepção, há aproximadamente meia hora, enquanto Maurice conversava com a recepcionista apresentando os meus documentos.

Sua mão em minha cintura perfura meu tubinho cor-de-rosa que tem o tecido fininho que me permite sentir a quentura de suas mãos e assim sou guiada para dentro do consultório indo em direção a sala da médica.

De imediato reconheço a doutora, ela estava presente no dia em que acordei no hospital, juntamente da minha psicóloga.

Ela deixa claro que essa é a nossa terceira consulta, já que vim aqui assim que soube da gestação e depois voltei, com os resultados dos exames solicitados. O jeito como me sonda parece esperar que a qualquer momento eu lembre a respeito, mas é frustrante tentar acessar memórias de algo que pareço nunca ter vivido.

— Não consigo me lembrar de nada a respeito das consultas, doutora — confesso sentindo as mãos tremerem, tento mantê-las em meu colo para que não sejam aparentes para Maurice e para a médica.

— Tudo bem, o importante é que se trata de uma gravidez de baixo risco, você e o bebê estão muito bem. Sentiu algo de diferente nesse tempo?

— Muito sono, alguns cheiros me dão enjoo... Somente.

— Esses sintomas são causados por conta dos hormônios alterados, vou aferir sua pressão arterial e dar uma olhada nas mãos e pés para verificar inchaços, tudo bem?

Concordo com a cabeça, mas temerosa que percebam o quanto estou nervosa, e nem mesmo sei a motivação, apenas sinto o corpo me alertando de algum perigo.

Olho para Maurice que se mantém silencioso, mas atento a toda a cena, e quanto mais conversamos enquanto ela toma as medidas necessárias começo a relaxar um pouco, mas a doutora sorri.

— Mesmo perdendo a memória, vejo que seu medo de médicos persiste.

— Eu tinha?

— Sim, eu cuido de você há anos, e todo ano quando vem fazer o preventivo chega aqui trêmula.

— Uau! Eu não sabia que desenvolvi esse medo.

— Você me disse que um médico a machucou colhendo um preventivo, e desde então você tem muito receio de ser tocada por médicos, mas sentiu segurança em mim, já que sabendo da situação sempre fui muito delicada, então, relaxe.

Fico boquiaberta, eu imaginei que o meu temor em relação à consulta fosse exclusivamente por conta da insegurança com a gravidez, mas agora vejo que é algo muito mais profundo. Quanto mais peças a minha mente pode me pregar?

— Que tal ir ali, àquele banheiro, tirar a roupa e colocar o jaleco para que eu verifique o tamanho da barriga e os seios?!

Sei que ela também vai querer ver o bebê e introduzir o aparelho em minha vagina, mas não o diz para não me amedrontar ainda mais, mas a tática não funciona, porque tenho as mãos trêmulas de qualquer forma.

Caminho para o banheiro e enquanto me troco ouço sussurros na sala e colo o ouvido a porta, conseguindo perceber que se trata de uma conversa entre a médica com Maurice.

— Safira tem seguido a dieta nutricional que te passei? — ela pergunta.

— Certinha, conforme combinamos.

Os dois conversam? Por que ele nunca me disse isso?

— Ótimo, vou passar alguns exames e um remedinho para melhorar os enjoos.

— Tudo bem.

— Tem conversado com a doutora Paula? — A obstetra cita a minha psicóloga na conversa e fico incrédula com a intimidade dos dois, a forma fácil como se falam às minhas costas, sinto-me enganada, principalmente por Maurice.

— Sim, são lentos os avanços em relação à memória, mas estamos indo muito bem em relação ao controle da ansiedade e do estresse.

Estamos.

— Isso é bom.

Não suportando ouvir mais o quanto eles omitem de mim, saio do banheiro e me deito na maca, ignoro os dois e viro para a parede enquanto a médica analisa a minha barriga, verifica os seios e logo me explica sobre como funciona a transvaginal. Apenas concordo de má vontade, olhando para o visor.

A médica o faz com muita calma e delicadeza, de início incomoda um pouco, remexo os quadris, desconfortável, mas logo que vejo a tela ascender com o meu bebê, esqueço todo o incômodo.

E... Nossa! Eu realmente estou grávida, isso está acontecendo!

— Está todo formadinho, Safira. Olha que graça! — ela diz e apenas sorrio vendo o perfil do bebê na tela.

Deus do céu! Como posso ter uma pessoa dentro de mim?

— Já tem um palpite do sexo, doutora? — Maurice pergunta.

— Tenho um palpite, mas não posso ainda dar certeza.

— Não diga! — falo rapidamente. — A mãe do Maurice quer fazer um chá para revelarmos o sexo.

— Tudo bem.

Volto a olhar para a tela e reprimo uma lágrima de cair, ainda não sei por que essa criança escolheu a mim como mãe, estou totalmente insegura, ainda assim prometo para esse pequeno ser — que neste momento sacoleja os pezinhos —, que vou me esforçar muito para ser a melhor mãe do mundo.

CAPÍTULO 33

Safira

Eu sou sua?

— Quando pretendia me contar que você tem segredinhos com as minhas médicas? — acuso assim que entramos no apartamento.

Passei o trajeto inteiro monossilábica, até cogitei a hipótese de ficar uns dias sem falar com Maurice até que a minha raiva passasse, mas assim que entramos e ele veio tentar me abraçar, minha única atitude foi empunhar o indicador em sua face e confrontá-lo.

— Eu não tenho segredinhos com ninguém.

De pé, parado à porta, observa-me tomar distância dele, os olhos semicerrados cravados em mim.

— Ah, tem! Você os tem! — Caminho pela sala, totalmente fora de mim. — Você e a doutora falando de mim como se eu fosse um experimento, um estudo de vocês, uma coisa!

— Safira! — Sua voz grave tenta me repreender, mas eu preciso expor quão magoada me sinto agora.

— Eu ouvi tudo, então quer dizer que até com a minha psicóloga você fala. Ela te conta tudo que eu digo a ela? Eu te disse o quanto eu achei que você era especial e sincero? Vocês riem de mim?

— Não falamos sobre o que você diz a ela porque isso seria antiético — corta-me sobrepondo sua voz à minha.

— Então sobre o que conversam? Será que ao menos agora posso esperar franqueza de você?

Ele passa as mãos no cabelo e ergue sutilmente os lábios fazendo seu costumeiro bico de desgosto, até quando ele está por um fio de estourar comigo consegue ter uma beleza ainda mais implacável.

— É sempre em torno dos seus avanços e nós não *conversamos* — enfatiza a palavra usando sarcasmo. — Ela me orienta sobre como proceder em alguns casos específicos.

— Quais casos? Seja *você* mais específico.

— A sua alimentação, ela me orientou sobre técnica de te fazer diminuir a ansiedade durante as refeições, os passeios, o quão bom seria ver a sua mãe, te afastar do trabalho, dar seu tempo em relação à gestação. Por isso sempre deixei que o assunto partisse de você, nesse último mês toda a minha vida gira em torno de você, raio de sol.

— Falando assim consigo enxergar o grande fardo que eu sou para você.

Ele se aproxima a passos lentos, observando-me com cautela. Quando estamos a um palmo de distância, ele estende a mão para mim.

— Nunca! Apenas o seu bem-estar é a minha prioridade. Estamos bem? Tudo esclarecido?

Olho para a sua mão que tacitamente quer selar a paz entre nós, mas algo paira em minha mente, uma dúvida que me consome e, antes que eu possa mensurar se vou me magoar com a resposta, pergunto:

— E se envolver comigo? As médicas também te orientaram a isso?

Ergo meu queixo tentando manter um pouco de orgulho, mas Maurice leva a sua mão até minha bochecha e abaixa seu rosto, angulando os nossos olhares.

— Não falei com elas a respeito, porque isso é algo nosso e que não diz respeito a mais ninguém. Apenas nos falamos acerca do que posso fazer para melhorar a sua qualidade de vida, mas as decisões que tomamos são unicamente nossas.

Tento me afastar, mas ele me segura pela cintura e mesmo sem aplicar qualquer força, sinto-me impedida de retroceder.

— Me deixa! — peço num sussurro e ele toca a sua testa na minha.

— Não, nunca! — fala enquanto acaricia a minha nuca. — Para de besteira, acabamos de ver o nosso bebê, estamos de folga o resto do dia. Quero ficar com você.

— Não gostei de saber dessas coisas, Maurice.
— Safira, eu precisava saber como lidar com você sem despertar nenhum gatilho, como cuidar de você. Não faria isso por mim se fosse o contrário?

O olhar inquiridor parece divertido sabendo que encontrou um bom álibi, um que não posso contestar, porque eu faria tudo por esse homem.

— Você sabe que sim.
— Então, pare de ficar chateada e vem aqui.

Ele me segura pelo queixo, olhando com fissura para a minha boca.

— Não sei.

Sacudo a cabeça de um lado a outro, por mais que a minha boca demonstre incerteza, meu corpo já decretou a derrota dessa guerra, eu estou totalmente rendida nos braços dele.

— Sabe. Você sabe que quer ficar comigo, você sabe que pode confiar em mim, você sabe que eu vou te proteger, sempre!

— E se algum dia você cansar de mim e dos meus problemas?

— *Se* esse dia chegar, a gente vê o que faz, por ora, um dia por vez, e hoje não estou nem um pouco cansado de você. Na verdade, estou... — Ele olha ao redor checando se a funcionária não está presente e em seguida sussurra ao meu ouvido: — Estou com as minhas bolas doendo de tão forte que te comi ontem de quatro e ainda assim, doido para ter mais disso a noite toda.

— Maurice... — ofego.

Sem qualquer barreira, sou tomada em um beijo avassalador, cravo minhas unhas em seu ombro. Queria poder nunca soltá-lo, que ele me garantisse nunca enjoar de mim, que dissesse ao meu ouvido que sou sua e serei para sempre.

— Ei! Calma, provocadora — diz com a boca ainda colada à minha, afoita.

Amasso sem cuidado sua blusa de botão, encaixo meu corpo ao dele roçando lentamente na ereção protegida pela calça de linho, chupo o seu pescoço e o ouço grunhir.

— Porra, Safira! — seu gemido soa sofrido, e isso me dá mais incentivo a provar meu ponto.

Pego a sua mão e a levanto, miro o indicador e o dedo médio. Quando Maurice vê a minha intenção, morde os lábios, ansioso, e só solta o ar dos pulmões quando me vê levar seus dois dedos fundo em minha boca, devolvendo-os totalmente enluvados pela minha baba, olhando para ele com determinação.

— Mesmo *que* esse dia chegue, saiba, Maurice, tudo o que está perdendo — falo enquanto coloco minha calcinha de lado e abro as pernas para lhe dar espaço de me toque com os dedos devidamente lubrificados.

— Você me deixa maluco, garota.

— Você é meu, Maurice — assumo enquanto seu dedo paralisa em meu clitóris. — Eu estou disposta a esperar por você, até que aceite que é meu e que eu sou sua. Só, por favor, não demore!

Nós nos entreolhamos, ele nitidamente entendendo que estou falando de amor, de relacionamento, tudo o que ele tem pavor de me ofertar.

— Agora, continua. Eu preciso gozar, senhor mandão.

CAPÍTULO 34

Maurice

Você é meu

No momento em que vi Safira naquela boate meu corpo estremeceu, fiquei incomodado com o seu olhar de volta, agitado, vendo-a dançar e excitado imaginando como seria ter em minhas mãos o corpo quente de uma mulher depois de tantos meses de celibato.

O desconforto de abafar uma ereção dentro de uma calça jeans foi sufocante. Gole a gole, o uísque não foi capaz de me desligar ou embriagar, eu me sentia cada vez mais sóbrio e ligado nela.

A cada vez que me olhava e sorria, ou molhava os lábios me provocando, eu me sentia bêbado dela.

Quando me aproximei e senti seu cheiro doce, vibrante, segurei sua mão para dizer que a achei linda, mas que não estava disponível. Para começo de conversa, nem devia ter ouvido o conselho da minha mãe sobre sair um pouco, mas considerei que termos recebido o convite VIP para irmos à boate do nosso cliente no mesmo dia que ela encheu meu saco fosse um sinal de Deus para me abrir para a vida. Porém, fiquei entediado até que ela — a menina de cabelo ruivo e olhar vibrante — começasse a me paquerar, praticamente se jogando em meu colo, logo depois que vi Otto ir embora sem se despedir de mim.

— Você é meu, bonitão! — ela disse antes que eu desse meu recado, mordendo os lábios, tentando ser sedutora, mas com olhos tão ingênuos que me fizeram mudar minha sentença.

Ela que seria minha.

E agora, aqui estou, com os dedos enterrados em sua boceta, enquanto mais uma vez ela garante que me quer, que eu sou seu.

Queria lhe dizer que ela é minha. Gostaria de lhe dar a certeza de um futuro juntos, mas eu temo que sua memória volte e a faça enxergar que não sou o cara que a Safira do futuro quer ao seu lado.

— Eu vou fazê-la gozar, querida. Mas se certifique de que...
— Começo um vai e vem em seu clitóris inchado, aumentando o ritmo a cada palavra proferida. — Cada parte sua me quer, que você é minha a cada vez que abre as pernas para mim, a cada dia que o meu fruto cresce dentro da sua barriga; a cada maldita crise de ciúmes que tem. Safira do passado, do futuro, todas as versões que existem dentro de você precisam ser minhas. A blogueira cobiçada, a empresária sagaz, a mãe do meu bebê, a mulher cheirosa que me espera todo dia esquentando a minha cama, cada versão dessa precisa ser minha, para que eu possa, então, de fato te reivindicar.

— Maurice... — Seu grito abafado preenche a sala do meu apartamento, o risco da minha funcionária nos dar um flagrante deixa tudo mais insano.

Mordisco seu lábio inferior, trazendo-a para mim. Nenhum maldito dia é tranquilo com essa mulher, sempre estou terrivelmente excitado ao seu redor, doente de tesão ou febril de ciúmes por cada homem que ela dedica sua atenção no trabalho.

Desço as alças do seu vestido, deliciando-me com a visão de seus mamilos sensíveis, dedilho com reverência e controlo o desejo de beliscar com força, apenas mordisco levinho e a ouço gemer sofrida em minhas mãos.

Com a calcinha ainda de lado, escancaro sua boceta abrindo os grandes lábios e sentindo o seu mel lambuzar meus dedos, levo-os à boca, chupando-os e a sentindo em meus lábios e em seguida minha boca possui a sua, embebedando-me de seu gosto de fêmea.

Desabotoo a minha calça, desesperado para senti-la como um viciado pela próxima dose, eu sempre preciso de mais.

Eu a viro de costas para mim, colando seu rosto à parede e, assim de pé, eu a penetro tão profundo e desesperado, querendo que cada remetida a fizesse enxergar que, sim, eu sou dela e... Porra! Ela é minha. Ela é a minha mulher.

Safira

O som nas alturas deixa tudo mais intenso, sinto cada centímetro dele me penetrar, nunca senti algo tão gostoso, eu poderia gozar apenas com essa penetração, Deus, estou tão molhada, que chega ser vergonhoso.

— Ah! — Rebolo sentindo a parede fria em meu rosto, suas mãos segurando meu cabelo, nossas roupas emboladas e meus gemidos sendo engolfados pela música Fugitivos, da Luiza Sonza.

Eu quero esquecer meu nome...
Virando o olho só você pode...

Não tive tempo de frear o orgasmo insano que me atropelou. Meu grito se deu no mesmo instante em que a música cessou, e isso despertou a atenção de um segurança, que vem até nós, o que me assustou quando suas mãos tiraram Maurice em um empurrão para fora de mim.

Deixo os dois brigando e ajeito as minhas roupas rapidamente, correndo para o banheiro.

— Safira, você está com cara de quem estava dando uns beijos por aí. — Lorena é quem sugere enquanto reforça seu batom.

— Mais do que isso, eu fiz uma loucura... Na verdade, não é loucura, apenas vivendo a vida — brinco, mas, de repente, sinto algo estranho escorrer pelas minhas pernas.

Corro para a cabine vazia e pego um pedaço de papel, sinto algo gosmento sair de dentro de mim e o passo, desesperada. No papel higiênico vejo que de fato cometi uma loucura, esqueci da camisinha!

— Safira? — Maurice me sacoleja e só então me dou conta que estamos de fato em sua sala. Ele saiu de dentro de mim e me encara, assustado. — Fala alguma coisa.

— Nós fomos pegos pelo segurança! — digo ainda confusa e, juntos, acabamos rindo.

CAPÍTULO 35

Safira

O Convite

— Sim, como dois adolescentes inconsequentes.
— Não acredito que te deixei lá sozinho.
— Ainda bem que fez isso, porque eu fui expulso. Se tivesse ficado teria sido posta pra fora comigo.

Gargalho ouvindo sua confissão.

— Sério que te expulsaram?
— Sim, fui convidado a me retirar, já que era um convidado VIP não colocariam as mãos em mim, mas o convite bastante... pacífico, veio.
— Eu percebi ainda na boate a burrada que cometemos de não usar preservativo.
— Me culpei muito por isso. Na verdade, eu nem mesmo tinha uma camisinha, porque não tinha pretensão de transar com ninguém tão cedo. Eu me deixei levar pelo momento, por tantos anos só tive Liliana em uma relação de confiança onde não nos protegíamos que acabei nem pensando em proteção quando estive com você. Não tenho palavras do quão irresponsável eu fui.
— Nós dois, você não fez esse filho sozinho. — Ele me agarra pela cintura e senta no sofá, colocando-me sentada em seu colo. — E se eu tivesse sido expulsa com você, o que teria feito? — Mordo os lábios e ele entende os sinais. — Me levaria para outro lugar? Passaria a noite dentro de mim?
— Esse seu fogo, Safira...
— O que tem ele? Acho que você se delicia com cada uma das labaredas, Maurice.

— Ah, sim, vem aqui pra eu ajudar a incendiar ainda mais.

Maurice empunha seu pau roçando levemente pelas minhas pernas, buscando pelo calor acolhedor no qual esteve minutos antes, e quando o sinto entrar respiro fundo, nunca é fácil recebê-lo.

Sem qualquer pudor me esfrego nele recebendo seus beijos molhados em meu pescoço, subo e desço sentindo cada polegada do membro grosso que parece me rasgar entre as pernas ao mesmo tempo em que parece me levar ao céu com tanto prazer, enlouquecedor.

Devia ter tirado o dia de folga como combinamos, porém, recebi o telefonema de Rose me alertando que hoje um contratante gostaria de fazer uma *live* comigo, um dos que me paga melhor, pelo que andei apurando.

Foi quase uma tortura sair da cama e deixar Maurice dormindo, sigo para o outro quarto e ligo o notebook enquanto faço uma maquiagem levinha, mas novamente Rose me liga.

— Está perto do Tozzini?

— Não.

— Ótimo! Amanhã temos um lançamento das joalherias Galvani, já tenho tudo certo para a sua preparação conforme definimos meses atrás, porém, pensei que seria de bom tom ir acompanhada.

— Do que está falando?

— Você está grávida, as pessoas estão curiosas para saberem acerca do pai...

— Maurice não está habituado à vida pública.

— Eu sei que não, mas se ele te quer para esquentar a cama dele e obedecer a todos os seus desmandos também tem de estar disposto a abrir mão de algo por você.

— Ela já faz muito por mim, Rose.

— Acredito que sim, eu realmente julgo que ele o faça entre vocês dois, mas, e publicamente? Quando vocês vão dar nome ao que possuem? Ao que são? Tem um bebê nascendo em poucos meses, você não tem tempo pra viver um namorico, Safira.

Fico em silêncio, cada palavra proferida me tocando profundamente.

— Ou Maurice está com você para o que der e vier em todos os aspectos da sua vida, incluindo a sua carreira, ou ele abre a vez para outros e olha... Não faltam pretendentes.

Desliguei pensativa, lembrando-me do que ele me disse mais cedo, que todas as Safiras precisam ter certeza de que o querem. Acredito que essa será uma boa oportunidade de aproximá-lo do meu trabalho e fazê-lo ver que o quero lá também.

— Oi, Safira, que prazer revê-la.
— Olá, senhor Alexandre, como vai?
— Senhor? Qual é, temos a mesma idade, corta essa. Ah, me esqueci do lance da perda de memória. Não se lembra nadinha de mim?
— Desculpe, não.
— Que pena! Vivemos momentos incríveis na sua viagem para a Disney, eu que convenci meu pai a te contratar para a nossa marca e até hoje você entrega resultados incríveis.
— Fico muito feliz em saber da nossa parceria.
— Digamos que mais que isso...
— O que está sugerindo, Alexandre?
— Eu fiquei chateado quando soube da sua gravidez, afinal de contas nos beijamos e você disse que não queria ultrapassar nenhuma linha porque não estava disponível para relacionamentos. Aí agora, sou pego com a notícia da sua gravidez.
— Reviravoltas da vida.
— Só posso dizer que esse cara é um sortudo, e olha que eu apenas te beijei, mas posso garantir que tínhamos uma química explosiva, inesquecível, ao menos para mim.

Meu olhar cruza com o de Maurice que está parado ao batente da porta sem camisa, apenas em um short de dormir, encarando-me, impassível. Não sei até que ponto dessa conversa embaraçosa ele ouviu.

— Vamos falar de trabalho, Alexandre?! Estou um pouco indisposta hoje.
— Claro! Como quiser.

— Essa salada está com uma cara incrível — elogio o prato disposto com folhas verdes de tons diversos, e ele apenas se mantém de costas cortando a cebola.
— O bife está pronto, pode ir comendo, se quiser.
— Não, vou esperar você.
— Como foi a reunião?
— Tranquila, Alexandre é diretor da empresa de cosméticos do pai, estamos em contato para lançar uma linha com meu nome, gosto da ideia de ser empresária, parece que solidifica minha carreira na internet.
— Hum... Interessante.
— Você não parece interessado, no entanto.
— Acha o Alexandre mais interessado do que eu?
— Você está com ciúmes, doutor Maurice Tozzini?
— Química explosiva, inesquecível...
— Ao que tudo indica, eu tive uma vida antes de você.
— Parece realmente que sim.
Sua má vontade me faz rir, eu o seguro pelo quadril e acaricio as costas nuas.
— E você foi casado. Para de besteira, Maurice, a única química explodindo por aqui é a nossa.
— Vai passar, Safira, só me dê um tempo.
— Tudo bem, enquanto te dou esse tempo, aproveite-o para digerir que amanhã você vai comigo a um evento cheio de imprensa.
— O quê?
— Eu sou garota propaganda da joalheria Galvani e terá um lançamento, queria você lá me dando apoio — digo e ele permanece calado. — Não vai dizer nada?
— Tempo. Digerir — fala entredentes e escondo um sorriso.
Poderia ser bem pior, ao menos ele não negou...

CAPÍTULO 36

Maurice

O Sucesso

— Para de rir, Otto, isso não tem graça.
— Maurice, imagina você ao lado da Safira tirando fotos românticas. Como pode, justamente você, que nunca encontra nem os nossos clientes por falta de paciência, se envolver com uma mulher que ganha a vida se mostrando.
— Eu vim te pedir um conselho e você tira sarro de mim.
— Primo, ouça bem, se você acredita que ela é uma mulher que vale a pena, então vá com ela a esses malditos eventos e a faça feliz.
— Eu sei, é que somos muito diferentes.
— Uma vez me disseram que as minhas diferenças com a Bela eram complementos, tudo o que faltava em mim ela vinha e completava e vice-versa.
— É um bom ponto.
— Sem contar que estamos em expansão, sua relação com a Safira pode te ajudar a se soltar mais para lidar com o relacionamento com a imprensa em geral.

O meu celular vibra no bolso, uma notificação de vídeo novo da Safira, intitulado de "Maquia e Fala". O último que ela gravou nesse formato foi contando de forma leve a sua gestação.

— Depois nos falamos mais — despeço-me, apressado.
— Vai lá, blogueirinho!

Dou-lhe o dedo do meio e ele ri, a nossa típica zombaria de caras.

Caminho pelo extenso corredor deixando para trás a recepção com de linho cru, as portas todas em madeira clara no mesmo tom de todos os armários e acabamentos. O projeto inteiro dos nossos escritórios foi assinado pelo casal Jasmine e Jonas Patacho[4], que são os melhores do ramo de soluções empresariais e trabalham conosco neste novo projeto de expansão nacional.

Até mesmo os pés das cadeiras e acabamentos dos armários foram cuidados para ornar com a paleta de cores, para que o ambiente fique leve e receptivo.

Assim que entro em minha sala retiro o celular do bolso do meu terno de três peças, vejo que está no horário do almoço e controlo o desejo de confrontar Rose, se alimentou Safira conforme combinamos.

Analiso o ambiente tentando me acalmar, olho ao redor da sala que equilibra modernidade e tradição, o gaveteiro cinza me chama a atenção porque ele foi motivo de um grande impasse entre meu primo e eu. Mesmo que os escritórios estejam se informatizando, ainda existe um grande volume de papel para utilizarmos e Otto insistiu em não manter armários de metal, eu os considero práticos e ele os acha barulhentos e negou com veemência. Segundo ele, não combina com a pompa da reformulação do nosso escritório e com todos os avanços, portanto, deixei que vencesse, e eis aqui o gaveteiro planejado com a quantidade exata de divisões necessárias, extremamente discreto no ambiente, e tenho de lhe dar o crédito, foi uma boa e prática ideia.

Clico no vídeo de Safira e ela começa sorrindo largamente, aparecem algumas sardas em seu rosto e ela começa falando que tem usado maquiagens mais leves por um gosto momentâneo, quando de repente, do assunto corriqueiro ela começa a aprofundar.

Jogo-me em minha cadeira e ignoro que faltam cinco minutos para que eu tenha uma reunião com outros advogados da equipe, o meu foco agora é ela.

— *O que é sucesso pra você?* — Para a pergunta enquanto tapa cada sarda e manchinha de seu rosto com o produto

---

[4] Protagonistas do livro "A Vingança do CEO"

155

semelhante a cor de sua pele, o qual ela mostra para a câmera e leio que tem o nome de base. — *Para mim, por muito tempo ter sucesso era sinônimo de ter agenda cheia, estar na mídia, ser bem posicionada. Hoje, sabe o que é sucesso para mim?!* — Suspira e dá uma risada em seguida. — *Arrancar um sorriso de Maurice.*

Sorrio, mal ela sabe que é a pessoa que mais consegue essa façanha.

— *Às vezes me pego pensando se o nosso bebê vai ter o sorriso dele. Sucesso também são as nossas caminhadas da manhã, as escolhas conscientes que fazemos na nossa alimentação, as conversas despretensiosas, ver o nosso bebê de perfil no ultrassom, ouvir o seu coração bater potente. Nossa! É o auge do sucesso.*

Seu olhar parece perdido enquanto os olhos lacrimejam.

— *Quando a médica me diz que está se desenvolvendo bem, saudável, quase posso ouvir aplausos na minha cabeça. É a maior obra de arte que eu fiz.* — Enfim ela sai do estágio de torpor e pega um novo produto que chama de contorno.

Ele deixa a cara de Safira estranha, essa maquiagem não parece que vai dar certo...

— *O meu intestino funcionando corretamente. Gente, isso é muito sucesso, sério! Tenham uma vida alimentar que lhes proporcione um intestino que funcione.* — Gesticula e eu rio, anotando mentalmente para pedir a minha funcionária que permaneça com a quantidade de fibras que damos à Safira.

— *Cada nova lembrança que recordo, aquelas que estou construindo agora, as certezas que tenho mesmo driblando o medo... Consigo enxergar hoje que o sucesso, as conquistas, tudo isso quem determina sou eu, então porque não ver sucesso em coisas tão rotineiras?! O básico, por que não...? E pra você, o que é sucesso?*

Em seguida a tela fica escura e tenho um sorriso bobo nos lábios. Eu devia não gostar dessa pequena fagulha de exposição, mas gosto de ouvi-la expressar os seus sentimentos.

E, respondendo internamente à pergunta dela, fecho os olhos e Safira e o nosso bebê são o que me vêm à mente quando penso referente a sucesso ou a qualquer conquista. Então, torço para que nada tire a nossa paz, porque a última vez que me senti tão completo em uma relação culminou na morte de Liliana.

CAPÍTULO 37

Maurice

Em Segundo Plano

Quando eu disse a Safira que iria ao tal evento, ela me garantiu que eu não precisaria me incomodar com nada, foi dito e feito. Rose chegou ao apartamento com sua equipe que entre tantas atribuições, trouxeram nossas roupas e... Caramba! O terno é impecável, eu não escolheria nada melhor. A partir das medidas que tiraram rapidamente, produziram-no impecavelmente em menos de uma semana.

— Eu sou boa no meu trabalho, Tozzini — ela diz enquanto analisa a minha cara de satisfação vendo a peça cor de vinho mesclado com arabescos bordados em preto; cada detalhe mais impressionável que o outro. — Denise fará uma maquiagem em você, bem levinha.

— Para quê?

— Você vai aparecer em várias imagens ao lado de Safira não vai gostar de se ver com o rosto brilhando parecendo oleoso. Depois você vai me agradecer, acredite.

Resmungo, mas decido aceitar para não estressar Safira.

— Outra coisa... Vão questionar acerca da relação de vocês, precisam estar alinhados. — Ela se aproxima, sondando-me — Você a ama? Por que é necessário muito amor para ficar em segundo plano.

— Do que está falando?

— Que ela vai brilhar, e você estará totalmente em segundo plano. É necessário que a ame muito para não sentir o impacto que é ter uma mulher em destaque.

— Isso não é problema para mim. Caso não tenha reparado, não gosto de holofotes.

Rodeia-me, olhando para mim de baixo a cima, mas demora por um segundo analisando-me profundamente.

— Tudo bem, eu não sou sua inimiga, Maurice. Estamos no mesmo time.

— Te digo o mesmo.

— Vou lá cuidar dela, vá se arrumar. Temos horário para sair.

Engulo um xingamento quando a ouço latir mais uma regra para mim.

— Vamos lá? — A maquiadora oferece levantando a *nécessaire* e solto o ar dos pulmões de forma audível, esse trato está saindo mais caro do que eu pensava.

— Ela está dez minutos atrasada, você disse que tínhamos horário.

— Estou pronta, senhor mandão.

Viro para ela e toda a minha irritação se esvai. Safira usa um vestido dourado que mais parece ter sido costurado em seu corpo, o tecido brilhoso abraça cada uma de suas curvas, inclusive a barriguinha saliente. O decote é profundo, deixando os seios ainda mais vistosos, uma trança longa jogada para o lado esquerdo e fios encaracolados meio soltos lhe dão um ar angelical, seu rosto parece mais corado.

— Estou fazendo jus ao apelidinho, raio de sol?

— Não, você está o sol inteiro, querida.

— Você nasceu para sustentar esse Valentino, parece um príncipe.

— A carruagem já está pronta para levá-los ao baile, estamos atrasados — Rose se interpõe em nossa conversa e me surpreendo ao vê-la arrumada de vestido longo, já caminhando para fora.

— Ela vai conosco? — sussurro.

Safira ri sem jeito, apenas balançando positivamente a cabeça.

— Prometo que vou te compensar muito, mais tarde — diz enquanto passa por mim.

E então eu pude entender o que Rose me disse em casa. Desde que abrimos a porta do carro não tivemos paz, flashes me cegaram, um cordão de isolamento foi feito para que conseguíssemos passar pelos populares pedindo fotos com Safira. Vi uma mulher puxando seu cabelo e se vangloriando pelo feito em seguida, queria protegê-la, mas eu mal conseguia andar.

Quando finalmente conseguimos chegar à porta do evento, ela foi bombardeada por repórteres lhe perguntando mil coisas ao mesmo tempo. Eu já estava louco pela minha casa, quando ela segurou a minha mão e me coloquei ao seu lado.

— Maurice Tozzini, quero que conheça Marlon e Paola Galvani[5], meus contratantes que se tornaram pessoas muito queridas em minha vida.

Assim que Safira nos apresenta, cordialmente apertamos as mãos, e então me lembro de que Marlon possui casos em nosso escritório e é amigo do meu primo.

— O senhor Galvani é meu cliente, apesar de lidar mais com o meu sócio, Otto Negromonte.

— Prazer conhecê-lo finalmente, Tozzini.

Assinto positivamente vendo que a fama que Marlon possui de ser retraído é verdadeira, o homem se mantém a todo tempo de mãos dadas com sua esposa e a mantém colada nele.

— Você está lindíssima. Safira, parabéns pela gestação!

— Obrigada, Paola! Espero ser uma grávida tão linda quanto você foi.

— Percebi que não se esqueceu de mim.

— Pelo visto você ainda assiste aos meus vídeos — Safira retruca e as duas sorriem. — Lembro-me, sim, de você. Não tenho a cronologia certa de todas as vezes em que nos vimos, mas consigo me lembrar vagamente de momentos específicos, como você me contando que se sentia minha amiga de tanto que via os meus vídeos e de como ficou linda grávida do seu Luis Miguel.

— E quem não assiste aos seus vídeos? — A mulher de pele negra, pisca os olhos verdes para Safira que sorri. — Estamos

---

[5] Protagonistas do livro "Assinado, minha: um herdeiro por contrato"

loucos para voltar *pro* nosso bebê. Quando o de vocês nascer, vão sentir como é a saudade.

Todos posamos juntos para uma foto, onde não consigo fazer nenhuma expressão, estou tão atordoado com esse tanto de flashes e pessoas amontoadas que não consigo disfarçar o incômodo.

— É um enorme prazer representar a joalheria Galvani, uma marca de tanta tradição no mercado. Ser o rosto por trás da marca me deixa honrada pela confiança que depositaram em mim.

— *Safira, fale acerca da perda de memória.*
— *E o bebê?*
— *Quem é o pai.*

— Bem, sobre a minha vida pessoal, recomendo que assistam ao meu canal, lá eu falo abertamente sobre o que estou confortável para expor, mas sobre a perda de memória, estou vivendo um quadro de amnésia dissociativa, na qual há uma lacuna de tempo de sete anos. É como se eu tivesse acordado com dezoito anos, e não vivido mais nada, estou em tratamento e já recuperei algumas memórias importantes, mas, sinceramente, neste momento não estou preocupada em me lembrar do passado. Quero preencher minha mente com novas memórias, já que hoje sou outra mulher, muito mais consciente das minhas escolhas.

— Sem mais entrevistas, com licença, senhores — Rose interrompe e ouço a reclamação generalizada.

Assim que entramos, percebo grandes fotografias expondo o rosto de Safira. Em uma das imagens ela está nua de perfil, com o corpo tomado por joias, reparo que a foto deve ter sido feita meses atrás, pois, ainda não há nenhum vestígio de gravidez em sua barriga plana.

Se eu pensei que enfim pudesse ter um pouco de paz, não poderia estar mais enganado, afinal é ainda pior do que lá fora. Safira é requisitada para tirar fotos, cumprimentos e mais cumprimentos. Rose a acompanha a todo tempo a apresentando para pessoas e novos contatos e eu tenho de admitir, eu poderia não bater muito com ela, mas Rose é competente em seu trabalho.

Com isso, contei no relógio uma hora que estou sozinho no bar remoendo meu uísque, que já teve o gelo desfeito.

— Eu estava louco atrás desse terno, ainda não lançou. Como o conseguiu? — Ouço a voz de Otto e quase suspiro em alívio por ver um conhecido.

— A empresária de Safira que cuida desses detalhes. Aliás, ela cuida de tudo, parece que vai rosnar se eu pensar em chegar perto dela. — Aponto com o queixo as duas conversando com um grupo de homens de meia-idade.

— Ela veio a trabalho, primo. Contenha-se.

— Eu sei. Eu sei.

Olho novamente para a fotografia dela nua de perfil deitada no chão. Não entrega muito de seu corpo, ainda assim me sinto incomodado em vê-la tão exposta para tantas pessoas, mas não podia me iludir, essa é a vida dela. Resta saber se eu conseguirei me encaixar.

— Não vai me apresentar a ela?

— Vou, assim que eu conseguir um minuto da atenção dela. O que parece ouro.

CAPÍTULO 38

Safira

A Revelação

— Rose, onde está o Maurice? Eu o quero ao meu lado — aviso pela centésima vez.

— Ele está se divertindo no bar com o primo, melhor assim. Essas conversas chatas de trabalho só iriam entediá-lo.

— Mas eu...

— Como vai, Gonçalo? Olha a nossa menina de ouro aqui.

— Me deem licença, preciso de uma água.

Caminho olhando para o alto em busca do bar, o salão já está lotado a essa altura, quando sinto algo pesado segurar meu braço, mãos brutas que me puxam para trás de uma pilastra.

— Sentiu minha falta, doçura? — O homem de pele morena tem olhos negros e cruéis sobre mim.

Será mais um em minha extensa lista de desafetos?

— Quem é você? — pergunto e instintivamente coloco as mãos em minha barriga, como se pudesse proteger o meu bebê de algo.

Esse homem me deixa alerta, consciente que algum perigo me ronda, mesmo que ele esteja elegantemente em seu terno tradicional.

— Já se esqueceu de mim? Como pôde esquecer tão rápido do pai do seu bebê.

— O quê? Do que está falando?

Olho ao redor, mas parece que estamos em um ponto cego.

— Olha, você tinha me falado que ia contar a verdade para o otário, eu fui contra, porque eu não quero assumir filho nenhum. Quero saber se você contou, eu não vou assumir essa criança, já estou avisando. O melhor teria sido você abortar, como sugeri.
— Eu não sei do que está falando, nem mesmo me lembro de você.

Retrocedo um passo sentindo a pilastra na minha coluna. Estou totalmente encurralada, e o homem coloca um braço de cada lado da minha cabeça, seu rosto se aproximando e invadindo o meu espaço pessoal.

— Ah, sim! Então é verdade a perda de memória, Rose me contou por alto. Pensei que fosse mais uma das suas mentiras. Vou refrescar sua mente. Bem, nós transamos diversas vezes, você achou que só porque eu sou herdeiro da maior rede de televisão desse país se daria bem aminha custa, me enfiando esse filho goela abaixo. Mas, eu estou na merda, meu pai descobriu alguns dos meus esquemas com drogas e vai me tirar tudo.

— Eu não fiz isso, não me envolvi com você. É tudo mentira o que está dizendo...

— Então pergunte a Rose, ela que nos apresentou. E você gostou bastante de conhecer meu mundo, ficou deslumbrada com o tanto de portas que a TV aberta poderia lhe oferecer, mas o seu erro foi achar que esse filho ia me prender, quando, na verdade, eu nunca me dou mal. Safira, eu tenho o poder ao meu lado.

Tento me soltar enquanto ele aperta meu braço.

— Você não é o pai do meu bebê.
— Isso, muito bem, assim que combinamos. E se algum dia contar a ele a verdade, não diga o meu nome, porque eu não quero assumir, Safira. Melhor deixar como está, com o Tozzini acreditando no seu teatro.
— Me solta! — Dou um grito e consigo acertar um tapa desajeitado em seu rosto.

Tremo pensando que possa tentar retribuir, mas ele apenas sai em disparada se misturando às pessoas na festa cheia.

Respiro fundo e pego o celular da minha pequena bolsa, dou uma busca sobre Safira e herdeiro de rede de TV e logo explodem fotos nossas.

Safira de Castro e Renan Figueroa jantam juntos. Safira de Castro e Renan Figueroa negam affair, "apenas amigos". Safira de Castro e Renan Figueroa curtem balada, juntos.

Deus do céu! O que eu fiz?

Caminho desnorteada para a festa, sentindo tudo girar ao meu redor. O cheiro másculo inconfundível de Maurice me desperta, penso estar alucinando, mas o tenho parado à minha frente, movendo os lábios.

— É um prazer conhecê-la! A Bela tem falado muito de você, nós estaremos presentes no chá revelação — o primo de Maurice diz.

Eu já tinha me esquecido completamente que o chá é amanhã, deixei que a mãe de Maurice resolvesse todos os detalhes junto de Rose, e me esqueci de que já estava tão próximo.

— Ah, sim! Bela está aqui?

— Não, ficou em casa com nossas filhas, eu vim só fazer uma presença e já estou indo.

Assim que o garçom passa Maurice pega dois sucos na bandeja, oferecendo-me.

— O que foi? Por que está aqui sozinha? Você está pálida — ele diz se aproximando e tocando o meu rosto, ignorando rudemente seu primo.

— Enjoo, nada demais. Me escondi para conseguir ter algum tempo pra respirar — minto.

Tento controlar meu corpo prestes a entrar em colapso. A garganta seca, o coração disparado, a sensação de quase morte me fazendo segurar no paletó de Maurice. Só de pensar que se essa história for mesmo verdade ele vai me deixar, provoca-me um nó na garganta. Ele é o meu equilíbrio, como vou fazer se perdê-lo?

— Maurice, vamos embora? Acho que ninguém mais vai sentir nossa falta.

— Você está estranha... — Vistoria-me com o olhar e se demora em meu braço esquerdo, fazendo-me fechar os olhos, porque sei que virá uma pergunta que não quero responder. — Quem fez isso no seu braço?

O aperto do desgraçado do Renan marcou fortemente a minha pele, é nítida a marca dos seus dedos, e isso me enerva.

Eu até poderia inventar algo para Maurice, seria confortável, mas não quero compactuar com as mentiras desse crápula.

— Depois eu te conto, quando me sentir preparada. Por favor, me leva embora!

Maurice olha ao redor, como se buscasse um culpado. Vejo a raiva que possui e só consigo pensar que não mereço sua proteção. Não mereci nada que ele fez por mim até hoje, eu sou uma mentira.

— Tudo bem, vamos embora.

CAPÍTULO 39

Safira

A Revelação parte II

Dentro do carro a minha cabeça vai a mil, rejeito mais uma ligação da Rose, e assim que ela tem a brilhante ideia de ligar para Maurice, ele já atende rosnando para ela.

— Está comigo, a caminho de casa — diz de má vontade e consigo ouvir os gritos da mulher mesmo sem o telefone estar no viva-voz. — Não, o trato é que você cuidaria dela, encontrei Safira sozinha, pálida, desorientada e machucada. Eu juro por Deus, Rose, pelo seu bem, não apareça na minha casa hoje.

Ele desliga e joga o celular de qualquer jeito no banco de trás.

Lembro-me das breves conversar que tive com a Rose, e ela sempre citou Maurice como pai, nunca falamos a respeito desse nome, Renan. E ela alega me conhecer melhor do que ninguém, ou melhor, conhecer a Safira que só se coloca em enrascada.

Mas, e se esse cara fosse o meu segredo sujo que não contei a ninguém? Vai saber...?

— Ei! No que está pensando, Safira? — A voz rude de Maurice preenche o silêncio da noite, o carro indo a 100 km/h, demonstrando sua impaciência.

— Estou pensando que quero um banho quente e cama — omito.

Mas a grande verdade é que preciso digerir essa informação para então decidir a respeito do que farei.

Viro novamente para a janela, reflexiva e receosa. Como pude enganar um homem tão bom quanto Maurice? O que eu tinha na cabeça? No que me tornei?

Prendo as lágrimas de caírem, só quero um banho quente e voltar a ter controle sobre minha vida, ter a memória das decisões que tomei. Agora entendo todas as pessoas que não gostam de mim, se menti sobre a paternidade do meu bebê, sou de fato um péssimo ser humano.

Saio de meus pensamentos culpados assim que a porta do carro é aberta. Maurice, como sempre muito cavalheiro, estendeu a mão para me ajudar a descer. Eu a agarro, mas não sou capaz de encará-lo, engolfada pela vergonha e a culpa.

— E agora vai me contar o que está tirando a sua paz? — pergunta assim que entramos no apartamento.

Deixo uma lágrima cair, nego com a cabeça.

— Preciso de um tempo, Maurice.

Ele se aproxima e lhe dou as costas, tentando esconder minha lágrima. Suas mãos tocaram a minha nuca para em seguida abrir o zíper do meu vestido.

— Venha, vamos tomar um banho juntos.

— Eu acho melhor...

— Você vem tomar um banho comigo, não estamos discutindo por isso.

Sinto os dedos quentes deslizarem pela minha coluna e a minha pele se arrepia, traidora. Maurice me beija na nuca e fecho os olhos com tanta força desejando que tudo seja mentira, cada palavra dita por Renan seja mentira.

Ele desce as alças do meu vestido e o desliza pelo meu corpo, acariciando a minha barriga no processo. Quando estou completamente nua, vira-me para ele e agarra a minha mão, levando-nos ao banheiro da sua suíte.

Desfaço a trança em meu cabelo e entro de cabeça na água quente do chuveiro, torcendo para que esta leve todo meu sofrimento por esse ralo.

— Você se fechar não é a solução, Safira. Converse comigo.

— Ainda não, por favor! — peço de olhos fechados; eu não posso olhar em seu rosto sustentando uma mentira.

Preciso de respostas antes de contar a Maurice, mas antes de ter seu olhar de ódio sobre mim, quero tê-lo me amando. Julgando que essa será nossa despedida, tateio seu peitoral nu,

beijo seu pescoço, sentindo o corpo tão quente quanto a água do chuveiro.
— Me beija... — imploro.
— A noite inteira, querida. — Sua resposta faz cair ainda mais lágrimas sem qualquer controle.
Talvez essa seja a última vez que eu ouça suas juras de amor.
Seus lábios tomam os meus em um beijo lento de sabor salgado pelas minhas lágrimas, suas mãos acariciam meu corpo e ele para em minha barriga. Quando desgruda nossos lábios colando as nossas testas, eu não abro os olhos, ainda não posso encará-lo.
— Acho que é uma menina — diz levemente apalpando a protuberância em meu ventre.
— Eu vou amar se for.
— Você pensou em um nome? Eu andei tendo um em mente.
Sorrio e tenho a certeza de que o bebê teria o nome escolhido por ele, mesmo que Maurice me odiasse por minhas escolhas.
— Não pensei em nome algum. Agora vai ter de me dizer.
— Pensei em um nome forte e que carregue o que ela é em nossas vidas.
Abro os olhos em tempo de ver o seu sorriso se formar nos lábios.
— Diga!
— Bárbara.
O que ela significa em nossas vidas.
— Uau! Eu amei, Maurice.
— Jura?! Achei que não gostaria.
— Pois se for uma menina, é assim que irá se chamar!

Não consigo falar com Rose, seu celular cai direto na caixa postal. Em minhas conversas com o tal Renan não havia nada de muito comprometedor, apenas conversas sobre o meio da televisão, horário que me buscaria para levar a compromissos.
Decido então ser hora de contar a verdade a Maurice. Até porque, hoje seria o chá revelação, e eu não poderia cavar mais fundo nessa mentira, já que isso me deixou de olhos abertos a noite inteira.

— Bom dia! Minha mãe já está a caminho.
— Tudo bem. — Respiro fundo tomando coragem.
— Safira, diga o que está pensando. Eu vou te proteger, lembra?! Eu sempre vou proteger você, diga-me o que está te deixando tão aflita.
— Maurice, nós precisamos conversar antes que a sua mãe chegue. Tenho de lhe contar algo que talvez... Bem, talvez faça com que tenhamos que remanejar o chá para a minha casa.

Decidimos que seria um chá da tarde entre os íntimos, portanto, seria na própria grande sala do apartamento de Maurice, algo aconchegante.

— Safira, seja o que for, divida comigo.
— Renan Figueroa me cercou ontem na festa... — Tomo fôlego, as minhas mãos estão trêmulas e mesmo sem nada no estômago sinto que posso vomitar a qualquer momento.
— Não me lembro de conhecê-lo.
— Parece que é filho de um grande diretor da televisão aberta. Ele disse que nós transamos no passado. — Maurice solta o garfo no prato, então me encara. — Ele disse que é o pai do meu bebê, mas que não quer assumir. Ele disse que eu sabia disso, a Safira do futuro, no caso.
— Não faz sentido você saber disso e ir atrás de mim.
— Às vezes, eu só estava desesperada pra ter um pai na certidão do bebê. Lembra que você disse que eu não te queria por perto?! Que eu queria apenas seu nome preenchendo o campo da palavra pai?! Faz total sentido, Maurice. Ele falou em aborto, lembra que você me disse que eu neguei algo assim, faz todo sentido.

Ele silencia e apenas me olha profundamente.

— Deus, eu me tornei a pessoa mais sem caráter do mundo. Como eu pude te enganar dessa forma?

No mesmo instante a porta é aberta e a mãe de Maurice entra sorridente, com uma grande panela em mãos e alguns potes escorados em cima. Seco as minhas lágrimas e olho para ele, que está impassível.

— Onde coloco as comidas, filho?

Seguro sua mão e busco os seus olhos, mas ele me ignora.

— Maurice, é melhor cancelar, eu vou entender. Deixa que eu falo com sua mãe...
— Na bancada, mãe. Pode colocar as comidas na bancada.
— Maurice...

— Bom dia! Animados?! Vai ter um buffet, mas eu fiz questão de fazer as empadinhas e massas folheadas que meu filho gosta.
— Obrigado, mãe!
— Olha pra você! Essa barriga cresceu desde a última vez em que nos vimos. — Encara-me percebendo meu rosto inchado. — Querida, está tristinha hoje?! A gravidez é assim mesmo, nos deixa sensíveis. Vem cá.
Recebo seu abraço e do canto do olho vejo Maurice se levantar.
— Preciso dar uma saída. Cuide de tudo, mamãe... E, Safira, vá descansar. Você não dormiu essa noite.
Como ele sabe que estive acordada? A resposta é óbvia, Maurice cuida e repara em mim mais do que tudo, o que só faz aumentar a minha culpa e eu me questionar até onde iria seu amor por mim?
E aonde ele ia agora? Ele me deixaria só neste dia tão especial?

CAPÍTULO 40

Safira

A Revelação parte III

— Safira, ainda está dormindo? Levante, precisamos escovar esse cabelo e começar a sua maquiagem. — Ouço a voz de Rose e a luz solar invade o quarto no momento exato em que ela abre as cortinas, fazendo-me gemer de insatisfação.
— Maurice já voltou?
— Ainda não, mas ele tem apenas de tomar banho e entrar na roupa que eu trouxe.
— Talvez ele prefira usar a própria roupa.
— Nem em sonho, todo esse chá está sendo patrocinado por marcas sedentas para mostrar seus lançamentos.
— Rose, o que você sabe do meu envolvimento com Renan Figueroa?
— Tem algo que eu precise saber?
— Ele fez isso ontem em meu braço.
— Bastardo! Não se preocupe, vamos remover com maquiagem.
— Ele disse que é o pai do meu bebê.
Ela imediatamente para de vistoriar meu braço e arregala os olhos.
— Sinceramente, ele me faz preferir Maurice e isso não é nada bom.
— Eu não lhe disse nada sobre isso antes de perder a memória?
— Não, mas você nunca se abriu muito sobre a sua relação com Renan. Na real, ele é só um drogado perdido, o pai vai interná-lo a qualquer momento. Em seu lugar, eu não diria

nada a Maurice, deixe que ele seja o pai dessa criança. É o melhor dos cenários.

— Eu já contei sobre o Renan, nunca esconderia algo assim dele.

— E como Maurice reagiu?

— Você o está vendo aqui? Ao menos ele não mandou que cancelasse o chá... Poderia ser bem pior, não?

— Poderia ser pior, sim, mas independente da paternidade, tenha em mente que o filho é seu. Erga essa cabeça e seja forte pelo seu bebê.

— Eu fiz muitas burradas, Rose.

— Fez, e ainda fará muitas outras, mas Safira de Castro nunca perde o seu brilho, portanto erga a cabeça e faça o que tem de ser feito, pelo seu filho.

— Você tem razão.

— Venha se arrumar, sorria para as fotos e esteja linda. Seu filho no futuro verá essas fotos e tem de ter a certeza do quanto você estava feliz pela sua chegada. Só ele ou ela importa agora, Safira — orienta, erguendo o meu queixo, respirando fundo.

Sei que preciso ouvi-la, mas não consigo simplesmente deixar a dor de lado.

Maurice

Abro a porta de casa e logo ouço o grito eufórico de Safira, que tem o cabelo solto com cachos esvoaçantes e usa um vestido longo de mangas, todo branco.

— Mamãe! — Corre para os braços da mãe, que fiz questão que entrasse à minha frente.

Eu sabia que ela ia amar a surpresa, valeu a pena insistir com a dona Nildinha para que viesse. Eu me ofereci para buscá-la na rodoviária, com jeitinho e a minha lábia de advogado, consegui persuadi-la a vir.

Enquanto elas se abraçam, Rose sussurra ao meu ouvido:

— Aconteça o que acontecer, faça Safira feliz hoje. É só isso que lhe peço.

Ao encará-la eu soube que Safira lhe contou.

— Estou empenhado nisso, caso não tenha percebido.

— Se não a quiser mais, me avise. Vou precisar trabalhar a cabeça dela.

— O que sabe a respeito do cara?
— Tozzini... — A repreensão em sua voz me irrita.
— Quem é Renan Figueroa? Quero o endereço dele.
— Não sei. Ele e Safira viviam de conversa, mas ela nunca abriu sobre o papel dele na sua vida. Acho que devia ser algum ficante, mas não tenho certeza. Por que quer o endereço dele?
— Não importa para você. Se preocupe em me entregar o endereço dele o quanto antes.
— Maurice, para que você quer isso?
— Arrume o endereço do desgraçado e todos nós ficamos bem, Rose.
Eu a ignoro indo para perto da mãe de Safira.
— Eu não podia faltar a esse chá e já aviso, sou do time menino!
Nildinha sorri e vejo os olhos de Safira lacrimejando. Odeio vê-la chorar mesmo sabendo que agora é de alegria.
— Tenho certeza de que isso foi armado por Maurice — diz.
— Sim, ele conseguiu me convencer a vir. E ele tem razão, foi a melhor decisão que tomei, filha.
— Obrigada por ter vindo! É muito especial tê-la aqui.
— Eu vou embora ainda hoje, estou aflita por estar aqui na capital, mas queria muito estar presente.
— Obrigada, mãe. Eu te amo tanto!
— Eu também, querida.
— Pois eu também acho que é um menino. — Minha mãe entra na conversa, colocando um escapulário no pescoço de Safira. — É proteção, filha, pedi pro padre benzer.
— É lindo! Quem é?
— Nossa Senhora de Fátima, é padroeira da gestação e da fecundidade, para cuidar de você onde eu não estiver.
— Obrigada!
Logo, chega Otto com a sua mulher e suas gêmeas, ambas graciosas com lindos lacinhos em seus cabelos cacheados. Mesmo sendo idênticas na aparência, cada uma carrega a sua personalidade de forma visível, Eloá é risonha como Bela, e Helena mais fechada como Otto. As duas meninas de pele negra, diferentemente de seus pais, trazem desenhos de presente para o bebê e entregam a Safira.
— São lindos! Diga-me o que desenharam para o meu bebê?
— É uma boneca patinadora, parecida com a que eu vou ganhar do Papai Noel, não é, mamãe?!

— Papai Noel só dá presente para crianças obedientes que não se esquecem de escovar os dentes antes de dormir, Eloá. Vamos ver se até lá você consegue, filha. — Bela pisca para nós e me divirto com a interação da família. — Diga para a Safira o que é o seu desenho, Helena.

— É a biblioteca do papai, pro bebê desde cedo aprender a ler, é muito difícil — ela sussurra a última parte nos fazendo rir, crianças em fase de alfabetização devem realmente sofrer.

— Obrigado pelos desenhos, vamos guardar todos para dar ao bebê, e obrigado pela dica, Helena. — Faço um carinho na bochecha da menina que possui uma maleta de primeiros socorros na mão.

Otto já tinha me contado da paixão da menina por seriados médicos, e nunca pude imaginar o meu primo, sempre tão fechado, estando tão feliz tendo uma família.

— E então, quais são as suas apostas?

— Vai ser um menino chorão igual Maurice foi na infância — Otto começa a me perturbar e reviro os meus olhos.

— Melhor do que ser um menino bobo que comia grama, como você — retruco fazendo as meninas rirem.

Temos uma tarde agradável, jogados na minha sala, sinto que até mesmo Rose consegue relaxar. O fotógrafo, no entanto, não para um momento de tirar fotos. Segundo ele, espontâneas.

Safira ainda está confusa, parece me evitar e apenas respeito o seu momento. Hoje não é o dia de conversarmos.

— Todos prontos para revelarmos o sexo?

— Sim!

Nós nos levantamos e logo próximo a mesa de madeira com ursinhos vestidos de rosa e azul é colocada uma grande caixa de papelão escrito: "It's a..."

E então Rose é quem puxa a contagem regressiva, e não estou ansioso. Para mim, pouco importa o sexo.

— Cinco... Quatro... — Seguro a mão de Safira, que sorri e juntos tocamos a tampa. — Três... Dois...

Levantamos juntos, então sobem balões cor-de-rosa, nossos familiares explodem em gritos e Safira me abraça.

— É a Bárbara.

— A nossa Bárbara.

Assim que eu digo, ela me abraça ainda mais forte e deixa as lágrimas caírem.

CAPÍTULO 41

Safira

O Acerto de Contas

Em vários momentos eu sinto que a ansiedade me move, faz com que eu seja mais impulsiva e eloquente, mas quando ela me toma, tornando-se uma patologia, paralisa-me. É assim que estou agora, totalmente cimentada ao chão olhando para a porta desde o momento em que Maurice foi levar minha mãe para a rodoviária.

Ignorei Rose, despedi-me mecanicamente de cada convidado e vi a decoração ser desfeita como um borrão. Parece que só voltei a respirar agora, vendo-o passar pela porta com a roupa branca ornando com a minha.

E ainda que eu tenha saído do estágio de torpor, não faço ideia de como agir com ele e para onde ir com a nossa pseudorelação.

— A equipe de Rose é realmente rápida, o apartamento está um brinco, nem sinal de que houve uma reunião social aqui.

Ele chama uma festinha de criança de reunião social, Maurice sendo Maurice. Eu certamente riria se não estivesse tão tensa.

— Acho que precisamos conversar — digo nervosamente enquanto ele coloca uma bolsa de restaurante na mesa de jantar.

— Sente-se, vamos comer. Não a vi se alimentar direito.

— Eu vou embora para a minha casa hoje. Essa semana eu peço a alguém para vir buscar as minhas coisas — informo de uma vez, é o melhor a fazer, recolher o pouco de dignidade que me resta e deixá-lo em paz.

— Por que tomou essa decisão?
— Maurice, eu tentei te enganar. Mesmo que inconscientemente, foi isso que eu fiz, não tem perdão uma atitude dessas.

Com a calma de um monge ele abre a sacola do restaurante tirando cada um dos itens de dentro os colocando na mesa, em seguida, pega dois pratos e talheres, então começa a enchê-los.

— Vai querer molho de camarão?
— Maurice, você está me ouvindo? — grito, fora de mim, totalmente irritada com ele e sua falta de atenção. E comigo, por só fazer besteiras nesta vida. — Sua mãe me deu um escapulário, foi embora feliz acreditando que vai ter uma neta, seu primo... Eu sou uma mentirosa!

Ofegante, eu o encaro e ele se senta, acaba colocando o camarão em meu prato e reprimo a vontade que possuo de virar a mesa, como uma criança pirracenta.

— Sente-se, vamos conversar civilizadamente como adultos, então você precisa se acalmar.

Caminho para dentro da cozinha pegando um copo e o enchendo com água, conto até dez tentando segurar a crise de ansiedade prestes a jorrar para fora de mim. Estou realmente por um fio depois de esperar tanto tempo para ter essa conversa como se deve.

Quando me viro para ele, ainda estou nervosa, mas decido me sentar e encarar toda essa situação e tentar entender o que Maurice quer e espera de mim.

— Por que permitiu que fizessem o chá?
— Não vi motivo consistente para cancelar.
— Motivo consistente? Maurice, a Safira do futuro não presta, eu quero enterrá-la. Você disse que ela era uma menina boa que estava perdida, mas não a vejo assim, não mais.
— Ele machucou seu braço ontem, talvez a Safira do futuro tenha total razão de não querer um homem desses como pai do seu bebê.

Minha boca cai aberta, surpresa me tomando inteira com a sua fala. Como ele pode me defender depois do que fiz?

— Não seja generoso, eu não mereço isso, não agora — falo, ríspida, engolindo em seco.

Definitivamente, não o mereço.

Levanto-me da mesa em um rompante, as lágrimas ameaçando cair pelo meu rosto.

— Tô sentindo tanta vergonha que não consigo olhar pra você, Maurice. Eu acho que é melhor eu ir embora, ter um tempo decidindo o que fazer acerca de toda essa situação.

— Safira, a decisão está tomada. A filha é minha, é assim que vai ser.

Viro para ele me sentindo perdida, enfio as unhas em meu antebraço para ter a certeza de que não estou sonhando ou delirando, mas a dor é real, a cena é real.

— Você ouviu tudo o que eu disse? — inquiro.

Maurice põe os cotovelos na mesa, olhando para a cadeira que levantei.

Então entendo a deixa, mesmo em silêncio ele ordena que eu me sente, mas não o obedeço. Afinal de contas, eu sinto que vou explodir se paralisar toda essa energia circulando por minhas veias.

— Sim, ouvi cada palavra, e ainda assim te digo com propriedade. Bárbara é minha filha. Vai ter o meu nome em sua certidão, carregará o meu sobrenome, e nada nem ninguém vai mudar isso.

Engulo em seco, deixando as lágrimas caírem. Sou uma mistura intensa de alívio e confusão.

— Por que vai fazer isso, Maurice? — sussurro.

— Por que eu te amo e quero você com toda a bagagem que vem junto.

Aperto forte o meu antebraço até que sinto a ardência das minhas unhas rasgando a pele.

— Isso não é real. Eu não mereço viver isso, eu não mereço.

— Esqueça que esse homem existe, esqueça tudo que ele te disse e vamos seguir com a nossa vida. Bárbara é nossa filha, é assim que vai ser.

— Eu ia te enganar, Maurice. Como pode mesmo assim me amar?

— Eu não me importo. Você disse que esperaria por mim, estou pronto para ser seu. Vocês duas são minhas, agora senta e coma decentemente, minha filha precisa se alimentar.

Ele volta a comer sua tapioca, tranquilamente. Ainda ansiosa eu fecho os olhos enquanto seguro na mesa e começo a sentir as lágrimas caírem.

— Respira fundo, vai passar. — Ouço a sua voz quase que distante, ele agora está atrás de mim, acariciando a minha coluna. — Fale comigo, não se feche em seus pensamentos.

— Eu não queria que as coisas fossem assim, tá tudo fugindo do meu controle, eu queria que ela fosse sua filha, eu juro que queria.

— Está tudo bem, Safira, está tudo sob seu controle. Você tem o pai que escolheu pro seu bebê, Bárbara é minha filha, você tem a sua carreira nas mãos e tem a sua rotina regrada pra cuidar da sua saúde. Está tudo bem, querida.

— Eu queria me lembrar dele, pra poder tomar alguma atitude. Eu...

Assim que penso em Renan minha garganta fica seca, cravo as unhas em meu antebraço, mas Maurice a tira e a enlaça em seus dedos.

— A sua mente decidiu que é só de mim que você devia lembrar. Agora, senta e coma. Vem!

Ele me senta em seu colo e obedeço. Mesmo que a contragosto, começo a comer cada colherada que Maurice me dá na boca, e vou me acalmando a medida que ele exige que eu fale dos ingredientes de cada item que como, o que me irrita, mas acabo dizendo. Eu sempre acabo fazendo o que ele quer.

Maurice

Alimentei Safira e a fiz dormir colada ao meu peitoral. Odiei vê-la tão inquieta noite passada, ainda mais sabendo o quão importante é uma boa noite de sono para qualquer ser vivo.

Assim que o meu celular vibrou com a mensagem de Rose enviando o endereço do tal Renan Figueroa, eu decidi que não ia esperar mais nem um minuto sequer.

Deitei a minha mulher na cama, ela resmungou, mas estava em um sono profundo, então apenas peguei a chave do carro e saí do quarto com cautela para não acordá-la.

— Vamos mudar um pouco a rota — aviso ao meu GPS do celular digitando o endereço do desgraçado.

Dirijo tão puto, que ignoro cada buzina reclamando da minha ultrapassagem. Quase atropelo duas pessoas enquanto avanço sinais. Estou fora de mim como nunca antes, afinal, sempre fui um homem contido, mas mexer com ela... Com elas, acabo de descobrir que é a porra do meu ponto fraco.

O tal Renan, pelo que apurei, mora em um condomínio no qual eu consigo entrar facilmente me identificando como advogado da família. Mostro a minha carteira da Ordem dos Advogados do Brasil e o porteiro, que já deve estar acostumado ao garoto bomba-relógio, apenas me deixa passar sem conferir a minha identidade com o morador do apartamento.

Estaciono o carro de qualquer jeito e a cada passo dado em direção ao elevador preciso controlar a minha respiração, cada andar que subo minhas mãos latejam de vontade de socá-lo e isso me leva ao inferno, já que nunca me envolvi em brigas.

Toco a campainha e ele atende à porta ao sexto toque, de cueca samba-canção e coçando os olhos. Fico ainda mais feliz em saber que interrompi seu sono.

— Oi, no que posso ajudar?

— Temos contas a acertar, Renan Figueroa — digo no momento em que seus olhos escuros têm a percepção de quem eu sou.

CAPÍTULO 42

Maurice

Minhas

Eu o empurro, fazendo-o recuar, totalmente sufocado na parede.
— Caralho! O que é isso, cara? — Sua voz estridente não me fez retroceder.
Lembro-me do braço de Safira marcado por seus dedos e a fúria me engolfa por saber que não estive lá para protegê-la como lhe prometi. Mas agora estou, e a cada lembrança da sua pele clara marcada com o aperto desse desgraçado me faz encará-lo, furioso e atormentado.
— Isso foi pelo braço vermelho da minha mulher.
Soco seu rosto fortemente, repetida vezes, fora de controle, vendo-o sangrar e mesmo assim não sentindo que é o suficiente. Quando decido parar, ofegante, minhas mãos doem, vermelhas pelo esforço e por seu sangue.
— E também é por menosprezar a minha filha — digo por fim, vendo-o sacolejar no chão, enfurecido.
— Para com essa porra, Tozzini! Eu vou num podcast hoje, caralho! — grunhe com a boca cheia de sangue e começa a apalpar o próprio rosto calculando o dano.
E então me agacho e nivelo nossos olhos, vendo-o por trás de todo o inchaço.
— Eu vou te dar apenas um aviso... Saia do caminho da Safira. Eu não teria trabalho nenhum em sumir com o seu corpo, você deve a tantos traficantes que seria difícil chegar ao meu nome como mandante e, sinceramente, eu faria um favor para a Humanidade.

— Isso é uma ameaça?!
— É um aviso. Eu não sou um homem de ameaçar, eu faço. Diferente de você.
— Tudo bem, não quero problemas, eu vou ficar longe. Só não quero assumir criança alguma.
— Ah, sim! Você vai ficar longe, pode ter certeza! E nunca mais pense na minha filha, porque aí o buraco é mais embaixo. Eu cuidarei pessoalmente para que tenha uma morte dolorosa se sequer pensar na existência dela, está me ouvindo?

Dou um passo à frente e ele grita em desespero.

— Cla... Claro! Entendi, tá tudo certo.
— É engraçado. Você machucou a Safira, cantou de galo com ela, e agora diante de um homem nem sequer luta. Só usa a sua valentia com mulheres, não é?! Um tremendo covarde, você é a escória mesmo. Pense novamente duas vezes antes de levantar a mão para qualquer mulher, Figueroa.
— Eu nem sei quem é Safira... — defende-se colocando o nosso combinado para valer.
— Ótimo! Foi bom conversar com você de forma tão civilizada, Renan. Tenha um bom podcast.

Caminho para fora tão irritado quanto entrei. Nunca fui um homem violento, mas às vezes o amor desperta o melhor e o pior de nós.

— Maurice?! O que foi? É sangue em suas mãos?

Ignoro Safira indo diretamente para o banheiro. Ainda de porta aberta, tiro a calça jeans junto da cueca e jogo no chão com a blusa respingada de sangue.

— Você está machucado, Maurice? Fala comigo!

Abro o chuveiro e deixo que a água leve embora o sangue do desgraçado que ousou tocar no que é meu.

— Maurice?!
— Venha aqui — exijo, estendendo a minha mão.

Sem pensar, Safira desce a seda da sua camisola branca pelo corpo ficando nua à minha frente. Meu pau reage na hora à visão da mulher deslumbrante vindo para mim, a barriga saliente é o primeiro lugar que acaricio quando a tenho mais perto.

— Como as minhas meninas se comportaram na minha ausência?
— Bem, apenas acordei com um pouco de dor na lombar e não te encontrei na cama.
— Faço uma massagem em você antes de dormirmos.
— Eu vi sangue em suas mãos...
— Era de Renan Figueroa.
— Você encontrou com ele? Pelo amor de Deus, Maurice! Por que fez isso?
— Está preocupada com ele? — Ergo a minha sobrancelha e Safira passa os dedos pela minha boca.
— Eu amo esse bico que você faz sempre que é contrariado. — Ela ri, mas se recompõe quando vê a minha má vontade. — Não me preocupo com ele, estou com medo de que você tenha feito alguma merda. Eu não devia ter te falado o nome dele...
— Não fiz nada demais, apenas o que qualquer homem em meu lugar faria para proteger a sua família.
— Fala isso de novo.
— O quê?
— Sua família.
— É isso que vocês duas são, a minha família.
— Maurice... Eu não mereço você. — Abraça-me pela cintura enquanto enfio minhas mãos em seu cabelo sempre cheiroso.
— O que ele te disse? Ele falou mal de mim?
— Digamos que... Ele não teve muito tempo para falar nada.
— Você bateu nele. — A afirmação me faz fechar os olhos por menos de um segundo. Eu fiz, e faria quantas vezes fosse necessário para protegê-las. — Ele encostou em você?
Safira tateia meu peitoral em busca de algum hematoma e em seguida olha para mim em busca de respostas. Apenas nego e ela respira aliviada.
— Você ainda parece chateado. É sobre a paternidade?
— Não! — respondo de má vontade.
— No que está pensando, amor? Se não se sente à vontade com isso, podemos fazer o DNA e...
— Me chama assim de novo — corto-a.
— Amor, meu amor.
Fico louco a ouvindo, tomo a sua boca em um beijo lento, degustando-a como o grande viciado nela que sou, mas antes de me perder, preciso esclarecer algumas coisas.

— Nunca! Eu não sujeitaria a minha filha a algo assim. Eu não estou pensando sobre isso, é um assunto resolvido, meu raio de sol, e não quero mais voltar a falar sobre isso. Bárbara é minha.
— Então, por que está assim? — indaga enquanto demarca a ruga em minha testa.
— É besteira.
— Eu divido com você todas as minhas besteiras, Maurice.
— É que eu não suporto a ideia de que outro homem te tocou. Que fez com seu corpo o que eu faço, isso está me matando.

CAPÍTULO 43

Maurice

A Posse

— Maurice, eu não me lembro de absolutamente nada e, mesmo que lembrasse, só tenho olhos, corpo e mente para você, amor. Você duvida dos meus sentimentos?
— Não duvido, eu sinto o seu amor.
— É só de você que eu lembro, amor, só você que eu quero.
— Eu sei, Safira, mas...
— Não tem "mas", eu sou sua. — Ela tira a minha mão de seu rosto e a leva até o seu ventre. — Nós somos suas.

Ela pega o sabonete e passa em meu pescoço, suas mãos ensaboando meu corpo que reage muito positivamente ao seu toque.

— Eu *tô* tirando qualquer resquício daquele homem das nossas vidas, Maurice. Ele está morto para nós — diz, continuando a me ensaboar e aceno positivamente.

Conforme a sua mão desce em minha barriga, vai ficando mais incontrolável meu desejo. Essa semana ela esteve cansada a maior parte dos dias pelo trabalho e com isso não transamos um dia sequer e o meu corpo parece cobrar o preço.

— Safira... Para de me provocar.
— Se eu parar, então não serei eu, senhor mandão.
— Eu quero você.
— Então me pegue, Maurice.
— Não, aqui coloca a nossa filha em risco, muito escorregadio. Vamos para a nossa cama.

— Eu amo seu cuidado, a forma como genuinamente se importa com meu bem-estar. Você é incrível, vai ser o melhor pai do mundo para a nossa menina.

Pego-a no colo e a levo até a nossa cama. De joelhos, ela leva as mãos ao meu pau, acariciando-o, e respiro fundo sentindo a palma molhada deslizando sobre a pele. Grunho, sedento por ela.

Quando a sua boca quente me leva fundo até sua garganta, soco a parede. É insano vê-la de joelhos chupando o meu pau, empurro fundo ouvindo-a engasgar e gemo descontrolado, fora de mim.

Safira, com os lábios melados dos nossos fluidos, fita-me. Agarro seu queixo e a trago para mim, beijando-a apaixonado. Como um dia pensei em me privar de seus beijos?

Quando estou por um fio, louco para senti-la ao meu redor, lembro-me da porra da médica.

— Por que parou, Maurice?

— Você tem exame amanhã, não posso meter nessa bocetinha apertada hoje.

— Ah, não! Eu quero você, Maurice...

Como resistir?

— Safira... — repreendo-a, porque apesar do desejo a nossa filha vem em primeiro lugar.

— Não! Espera! — Sua mão serpenteia pelo meu peitoral, acariciando e apertando a minha ereção, então sussurra ao meu ouvido: — Coloca com jeitinho na minha bundinha. O que acha?

Prendo os lábios nos dentes, respirando fundo.

— Eu vou levar a sério esse pedido... — falo para testar se ela ofereceu mesmo ou está me provocando.

— É pra levar, Maurice. Hoje, eu quero você dentro de mim de qualquer jeito.

O modo dengoso que fala me provocando é um teste para a minha sanidade. Sempre considerei sexo anal algo profano, mas com Safira tudo que fazemos parece sagrado por mais pecaminoso que de fato seja.

— Você não quer?

— Eu quero tudo que você quiser me dar, mas confesso que nunca... — Agora sou eu sussurrando ao seu ouvido. — Nunca comi um cuzinho.

— Jura?! Então vamos fazer com jeitinho, eu quero que você tenha tudo que é meu.

Sorri me atiçando e essa conversa já está deixando meu pau dolorido de tesão.

— Safira, então eu vou aprender a comer do jeito que você gosta. Monta em mim e me ensina, querida.

Sento na beirada da cama e a coloco de costas para mim, acaricio suas costas pálidas, a pele arrebitada da sua bunda lisinha, enquanto esfrego sua boceta e tenho em meus dedos a prova de quão melada está. Safira é puro fogo e eu amo tocá-la e saber que tenho esse poder sobre ela. Separei as polpas da sua bunda vendo quão rosada e lisinha é toda sua intimidade.

Uso minha língua para fazê-la gozar de pé com as mãos na parede e a lambo inteira, enchendo seus buracos apertados com a minha saliva, na frente e atrás, enquanto ouvia seus gemidos com palavras desconexas.

Encaixo Safira em meu colo, empunho meu pau e prendo a respiração quando ela empurra para dentro a cabeça larga em seu ânus. Entra difícil, apertado, sinto-a contrair em resposta e chupo seus ombros com um tesão animalesco. A cada polegada que sua bunda desce no meu pau, eu me sinto mais possessivo sobre seu corpo, porque agora ela é minha por inteiro, porra!

Puxo seu cabelo e mordisco sua orelha enquanto Safira grita quando desce por completo, sentindo-me todo dentro do seu cuzinho, pulsando, dolorido de tesão.

Fico parado deixando que se acostume com meu tamanho, mas quando suas reboladas lentas se tornam demais para suportar, soco a minha pelve em sua bunda. Sinto que preciso ir mais fundo, quero sentir minhas bolas batendo nela, então nos giro ficando por cima, revirando os olhos enquanto ouço seus gemidos rendidos.

— Minha... Você é toda minha.

— Sim, Maurice... Por favor... — Ofega enquanto aperta o lençol deixando que eu a monte e coma como eu bem quero.

E é isso que me enlouquece nela, a mulher sabe a hora de me confrontar e o momento de me deixar dominá-la.

— Está gostoso, amor? — exijo saber de sua boca, mesmo vendo seu corpo muito perto do orgasmo.

— Ardido, gostoso... Ah!

— Promete que não vai esquecer quem é o seu homem?

— Nunca — responde em um suspiro enquanto treme se deixando levar por um orgasmo intenso enquanto eu gozo fundo, rosnando e marcando-a como um animal.

CAPÍTULO 44

Safira

As Lembranças

Nada me transmitia mais paz do que ficar assim, nua agarrada a Maurice. Principalmente depois de um momento tão íntimo, tão nosso.
— Tenho de te fazer uma massagem, você reclamou de dor na lombar quando eu cheguei.
— Não precisa. Assim que eu te vi, passou.
— Será que era dengo?
— Eu sou uma mimada e você alimenta isso. — Sorrio abertamente.
Ainda pairam dúvidas dentro de mim, não consegui engolir essa história do Renan. Por mais que tudo pareça resolvido, ainda tenho a intuição de que há algo de muito errado em toda essa história.
— Doeu muito? — A voz de Maurice interrompe meu raciocínio, passo as mãos pelas suas coxas nuas.
— Doeu muito e foi igualmente delicioso. É sempre assim ao te receber, não importa onde — confesso, encolhida em seus braços, sinto-me pequena amparada por seu peitoral largo.
— Eu amo você, Safira!
— Eu amo você, Maurice! Cada pedaço meu, cada ciclo, todos ornam ao redor de te amar.
Ele sorri e, cansada, fecho os olhos lentamente com o vislumbre de me sentir verdadeiramente amada. Posso não me lembrar de quase nada, mas simplesmente sei que essa

sensação é inédita em minha vida e aconchegada nele me permito relaxar e me entregar ao sono.

— Tem noção do que está me pedindo?
— Eu não vou ter paz enquanto não descobrir, Rose.
— Maurice te mata se descobrir que você quer fazer um teste de DNA.
— Eu preciso ter a certeza, essa dúvida está me matando.

Ando de um lado a outro no canto da nossa sala de reunião.

Em nosso café da manhã novamente me peguei incomodada com a situação da paternidade de Bárbara. Por mais que eu considere nobre a atitude de Maurice, estou intuindo que há algo muito errado nessa história, então decidi levar essa intuição para fora e investigar por conta própria.

— Safira, é muito arriscado em todos os sentidos. Pode vazar para a mídia o seu nome ou o de Maurice. Além do mais, ainda na gravidez, o exame é invasivo demais. Sem condições.
— Eu odeio essa situação.
— Vamos esperar a bebê nascer, depois disso fazemos. Essa opção te tranquiliza?
— Duvido que vá viver bem até lá, com isso me consumindo.

Vou até a janela e olho de relance para a orla de Ipanema. Nossa sala comercial possui uma grande janela que às vezes usamos de cenário nos vídeos, segundo Rose eu decidi alugar esse espaço pela quantidade de cenários possíveis, inclusive com luz natural, algo que agregou muita beleza e leveza aos vídeos.

— Querida, se o próprio Maurice não está incomodado, então deixe ir.
— Algo me incomoda nessa história, Rose. Eu não sei o que é, mas tem alguma coisa muito errada, a minha inquietude não é à toa.
— Imagino a sua aflição e sinto muito por não poder ajudá-la.
— É horrível ficar totalmente refém dos outros porque simplesmente a sua cabeça não está funcionando corretamente — confesso e sinto a mão de Rose em meu ombro.
— Eu imagino que seja, mas não crie problemas onde não há. Esse assunto já causou um rosto machucado.

— Eu vou pensar com calma no que farei, Rose, mas estou muito inconformada. Tem algo que não orna nisso tudo.

Acabamos de chegar de uma rápida viagem a São Paulo onde tivemos mais uma reunião importante para o meu projeto de linha de maquiagens. Essa semana será puxada com tantas idas e vindas à cidade da garoa. Sabendo que agora não há nada de tão importante a ser decidido, a necessidade de estar nos braços de Maurice é quase incontrolável.

Pego o meu celular e jogo o nome Negromonte e Tozzini no buscador, lembro-me de ser esse o nome que estava em seu cartão pessoal, que me deu ainda no hospital e vejo que estou há menos de vinte minutos de distância. Nesse horário das 2h da tarde o trânsito não está tão caótico, e decido arriscar.

Ajeito o meu sobretudo preto que possui um laçarote na parte inferior ao estômago demarcando e dando destaque à minha barriguinha cada dia mais saliente, apesar de curto até as coxas. Calço uma bota branca de cano alto pegando os meus joelhos e correndo até a minha bolsa de tamanho médio onde levo itens básicos para viagens rápidas e logo já estou pedindo um carro de aplicativo.

— Pra onde vai? — A voz da minha empresária agora soa distante enquanto caminho para fora da sala.

— Retribuir a ida de Maurice ao meu trabalho, indo conhecer o dele.

— Boa ideia, mas estamos no meio do expediente, temos de conversar sobre a sua roupa no desfile do...

— Preciso espairecer — interrompo-a. — Resolva tudo como sei que é competente para tal.

— Safira...

— Até amanhã!

Caminho para fora da sala comercial olhando para o meu celular e quanto paro em frente ao elevador, divago sobre as minhas certezas.

Se há algo que aprendi ao longo desse tempo entre o tratamento e até com conversas banais com Maurice é a importância do ciclo circadiano, que nada mais é do que a forma como o nosso organismo regula ao passo que equilibramos nossas atividades diurnas e noturnas. Um grande exemplo disso é a mensagem que a minha mãe acaba de me mandar.

Nela, seu sorriso é radiante e o rosto corado e suado com a seguinte frase: "menos dez quilos". Fico totalmente feliz por ela, por estar tentando e por iniciar seu processo de cura.

A mudança na rotina faz com que, segundo Maurice, conforme o dia amanhece uma série de eventos acontece em nosso organismo: liberamos cortisol, que é o hormônio que nos ajuda a despertar; durante o dia, a insulina nos auxilia nos processos de uso da glicose, que obtemos energia a partir dos alimentos; durante a noite, há produção de melatonina que prepara nosso corpo para dormir.

Dessa forma, os distúrbios pelos quais passamos em nossas vidas, sejam eles alimentares, o estresse do dia a dia, a privação de sono, podem acarretar sérios desequilíbrios hormonais. Se prolongado por meses ou mesmo anos, essa "desarmonia" deixa nosso corpo vulnerável às doenças, desde infecções recorrentes — facilidade em ficar gripado, por exemplo — até casos mais graves, como doenças cardiovasculares. Talvez seja por isso que Maurice é tão regrado, porque possivelmente esse descontrole do ciclo pode ter levado embora sua tão jovem esposa.

Entro no carro de aplicativo e, enquanto passeamos pela orla, uma série de memórias explode em minha cabeça, desordenadas. Então, a mim cabe tentar montar as peças de sua cronologia.

— Moço, pare aí, por favor!

Olho para o quiosque à beira mar e de imediato me vem à memória o rosto de Renan, que tenta me beijar. Com o meu certeiro desvio, sua boca resvala em meu pescoço, onde em vez de prazer, sinto asco.

— *Deixa de ser bobo, Renan!*

— *Você é estranha, Safira. É toda descolada, mas não usa drogas, mal bebe álcool, nunca a vi beijando ninguém... Daqui a pouco vou suspeitar que você é virgem — zomba e reviro os meus olhos.*

Observo as ondas como estão altas e o mar agitado enquanto o punhado de surfistas se arrisca dentro d'água.

— *Não sou virgem porque infelizmente caí na lábia de um homem que me machucou muito. Como pode o amor ferir? — divago.*

— Você diz machucar fisicamente? — ele pergunta e eu nego com a cabeça.

— Tão doloroso quanto, me fez sentir única e depois descobri que era casado — confesso.

Pensar no meu ex me faz sentir vergonha, porque quando descobri seu casamento já o amava tanto ao ponto de cogitar a hipótese de me manter presa àquela situação. Porém, eu nunca passaria pelos meus princípios e drenaria os meus sonhos dessa forma por ninguém, então o chutei da minha vida, ainda assim sinto a amargura desse desamor.

— Sinto muito, Safira, mas sabe como é... De vez em quando é bom um prato novo pra mudar o feijão com arroz. Se é que me entende.

— Não entendo e tenho nojo desse tipo de pensamento e comparação, Renan. Você é um babaca.

Estou há meses levando Renan Figueroa nas mãos. Quando Rose nos apresentou, fizemos um acordo de lhe dar visibilidade na bolha da internet em troca de uma vaga para mim na televisão aberta. Quero expandir meu público e me tornar a maior do país, conhecida em todos os âmbitos para que daqui a poucos anos eu possa progredir, indo atrás de uma carreira internacional.

Assim tenho aparecido constantemente com Renan Figueroa e, em troca, ele conseguiu com seu pai a oportunidade de me tornar apresentadora em um programa matinal aos fins de semana. Algo pequeno, mas um grande começo para estourar a minha bolha deixando de ser conhecida apenas pela galera da internet.

Então por mais que eu o odeie, preciso usá-lo assim como estou me permitindo ser usada. É um acordo limpo, mas não contava com os galanteios descarados e descabidos de Renan.

— Estou desimpedido, doçura, e sabe que sou louco por você — ele diz tentando me agarrar, e tiro as suas mãos do meu ombro.

— Para com isso, Renan! Você está fedendo, há quantos dias não toma um banho? Se continuar desse jeito, serei eu a contar pro seu pai o seu envolvimento com as drogas. Você tem piorado demais no último mês — falo entredentes.

Renan tem se afundado mais nas drogas, ainda mais pela facilidade encontrada nas tantas festas de influenciadores as quais participamos.

— Para de ser uma vadia, Safira. Se você fizer isso, eu acabo com você.

Suas ameaças vazias me enervam, e mesmo sabendo que ele é capaz de cumpri-las não me afeto, mas também não pretendo ficar mais que o necessário em sua presença.

— O paparazzo já tirou todas as fotos que precisamos juntos, estou caindo fora — aviso dando um sinal para o fotógrafo pago pela empresária de Renan.

— Vá, doçura, nos vemos por aí.

— Suponho que sim — falo com desgosto.

Mas antes que eu me levante, tenho meu celular vibrando no bolso.

— Rose?! Não estou atrasada, nosso vôo é daqui a uma hora — respondo olhando para o horário, temos tudo preparado para a minha ida à semana de moda em Paris, estamos preparando tudo há meses, semeando a minha carreira internacional.

— Safira, o exame que você fez para o programa de TV voltou...

— Como assim voltou? Eu não tenho nada, estou totalmente saudável para apresentar o programa, Renan me garantiu que o pai dele vai me dar a vaga, o contrato é de um ano.

Dou um solavanco em Renan, começando a respirar fundo. Essa vaga tem de ser minha. Estou aturando-o há tempo demais para sair com as mãos abanando.

— Safira, você está fora.

A frase me desestabiliza, todo o meu plano de carreira escorrendo por minhas mãos. Coloco no viva-voz para que Renan ouça e tome uma atitude, afinal, não foi esse o combinado.

— Eu não posso estar fora, lutei muito por isso, Rose. Estou há um ano sem tempo para falar com a minha mãe, abri mão de todo meu tempo para que isso dê certo. Não posso simplesmente estar fora! — grito ao telefone e tenho Renan pedindo que eu me acalme, então repreendo a vontade que estou de enfiar as minhas unhas em seu rosto.

— Sinto muito, querida! Você perdeu a sua grande chance de sair do status de blogueira e se tornar uma apresentadora na TV aberta como vem almejando. Nós perdemos, Safira!

— Por quê?

— Você está grávida.

As palavras me fazem encarar Renan, que gargalha à minha frente.
— Doçura, você se fodeu! E eu achando que você não fodia — diz e lhe dou o dedo médio.
— Grávida? Como assim, grávida? Isso é mentira, não posso estar...
E então na intensidade de um soco me vem à lembrança da noite na boate, o sêmen escorrendo pelas minhas pernas, fecho os olhos com brusquidão. Não posso ter engravidado daquele desconhecido, isso não está acontecendo...
— Se quiser, eu te coloco na "fita" de um médico, ele faz aborto. Garanto que o meu pai vai fingir que nem viu seu exame e a gente te encaixa no programa. — A voz de Renan faz com que Rose silencie na linha, esperando o meu veredicto.
Algo que me fez chegar ao patamar em que estou hoje é a minha perseverança. Cresci diante da internet e com isso já sofri com pessoas me odiando por acharem que meu sorriso é falso ou que a forma como falo é fingida. Já fui xingada por usar palavras inapropriadas por puro desconhecimento, aprendi que me manter estudando sempre, sobre assuntos atuais, também faz parte do trabalho, a duras penas vi que posso usar a minha imagem para agregar na vida das pessoas ou destruí-las ainda mais com as minhas palavras, mas independente de todas às vezes que fui linchada, sempre me reergui.
Sempre sonhei com o príncipe encantado, o casamento dos sonhos, até já disse isso em diversos vídeos, mas a realidade me acerta como um trem desgovernado. Não tem príncipe, sou eu sozinha lutando pelos meus sonhos.
— O que faremos, Safira? — A voz de Rose me puxa de volta para a realidade nefasta.
— Não tenho tempo para ser mãe, tenho uma agenda lotada para cumprir, tenho uma carreira a gerir. Nada vai me fazer retroceder de realizar os meus sonhos, Rose, nada!
— Quer abortar?
— Não! — digo imediatamente, não sei o que fazer, mas abortar não é uma opção. — Peça um carro para mim, preciso ir a um lugar.
— Aonde?
— Negromonte e Tozzini advogados — falo lembrando que foi deste número que o pai do bebê me ligou no dia seguinte à

nossa transa apenas para perguntar se eu estava livre de doenças sexualmente transmissíveis.
Depois que desliguei na sua cara, nunca mais nos falamos.
— Safira, o que vai fazer?
— Quero anonimato sobre essa gravidez, vamos escondê-la e, quando nascer eu o entrego ao pai para que ele crie — *falo tomando a decisão de supetão, é o mais acertado, afinal, ele é anônimo, bem-sucedido.* Se quiser, eu lhe pago um valor para cuidar, sei que fará melhor que eu, qualquer pessoa na verdade é melhor para essa criança do que eu.
É o melhor a se fazer.
— Safira, primeiro vamos esfriar a cabeça e depois decidir com cautela...
— Rose — interrompo-a —, não tenho tempo, preciso ir atrás dessa vaga, não vou deixá-la escapar.
— Safira, isso é uma utopia...
— Nada é mais importante do que a minha carreira. Eu dei até minha alma pra que tudo desse certo, não tenho tempo para mais nada, eu vou fazer dar certo. Peça mais uns dias ao pai de Renan, eu vou conseguir fazer dar certo.
Faço sinal a um táxi que passa e desligo o telefone. É isso, vou conseguir disfarçar a gestação, vai dar certo, o programa será meu.
— Safira, se acalma.
— Safira, vamos conversar. Me atende.
— Para onde, moça?
— Escritório Negromonte e Tozzini.

— A senhorita está passando mal? — *o motorista pergunta e deixo uma lágrima cair.*
Consigo sentir de volta a angústia que estava naquele dia, o fatídico dia em que perdi a memória, a decepção, sentimento de fracasso, o quanto a notícia da gravidez me abalou, fazendo com que me sinta ruindo e ao mesmo tempo fico perdida em relação ao tempo espaço. Estou agora em um táxi, tudo foi apenas uma memória, preciso me manter sã.
— Estou bem — *falo fracamente, ainda perdida naquele dia e no que é hoje. Estou entrando em crise.* — Pode seguir, moço.
Volto a olhar para a areia da praia e novas lembranças surgem, a forma desesperada que vasculhei a bolsa buscando por algum remédio que fizesse parar a frustração, afinal se

tornou um vício não sentir. Toda vez que estava sozinha eu precisava me manter dopada, senão a avalanche de sentimentos ruins e de pensamentos destrutivos me tomava, e assim fui caindo cada vez mais fundo no vício de me manter alienada da realidade.

Quando não encontrei o remédio em minha bolsa, de imediato suspeitei que tivesse sido Rose que os tirou, já que só ela tem acesso à minha vida pessoal dessa forma e fico enraivecida, porque os sintomas do estresse começam a me levar fundo.
"Eu nunca vou ser famosa como sempre sonhei."
"Vou me tornar uma fracassada."
"Vou passar o resto da vida como a minha mãe, trancada em uma casa culpando o Universo pelas minhas tragédias pessoais, chorando por tudo que não vivi."
"Cheguei tão perto e agora vou morrer na praia."
"Todo o meu esforço e abdicação não valeram de nada."
"Eu sou um amontoado de falhas."
Os pensamentos angustiantes surgem e recebo uma foto em meu celular de Renan segurando um urso de pelúcia, zombando da minha gravidez. Babaca!
— Senhorita, chegamos ao seu destino.
— Obrigada — respondo automaticamente, com as mãos trêmulas jogo para ele um punhado de notas e o ignoro quando ouço seus gritos.
— Moça, isso é o triplo do que vale a corrida!
Desgovernada, caminho pela rua ouvindo o burburinho:
— É a Safira de Castro?! Meu Deus! Seus vídeos me tiraram de uma depressão profunda.
— Você é ainda mais linda pessoalmente.
— Tira uma foto comigo?
Sorrio gentilmente para o celular apontado para mim enquanto a menina cola o rosto no meu. Conforme sorrio mecanicamente, sinto a dor por tê-los mordido e puxado as peles dos lábios, a ardência é sentida, seguro as lágrimas, tento controlar a respiração, e aceno positivamente para tudo que a menina diz que represento em sua vida.
Confusa, perambulo em direção ao prédio comercial e, quando dou por mim, estou invadindo a sala que tem na porta o nome "Maurice Tozzini".

— Senhor, ela saiu entrando, não pude controlar.
— Preciso falar urgente com você. — Minha voz soa frágil, ele precisa querer esse bebê ou então não sei o que farei com a minha vida, a minha carreira está em suas mãos.
— Não é assim que as coisas funcionam, estou em horário de trabalho.

Seus olhos azuis agora a luz do dia parecem muito mais bonitos, o homem de cabelo castanho-claro me encara relembrando quem eu sou, e pelo jeito predador que me olha também se lembra do que fizemos.

— Pode sair, Stela, a mocinha a minha frente não vai demorar a sair, não precisa cancelar nenhum compromisso.

Reparo em seu bom gosto, a calça de linho escura e suéter bege lhe caem bem, o ar de riqueza e poder exalando em cada uma das peças que revestem seu corpo largo e musculoso. Intuitivamente meu olhar recai para a sua aliança no dedo anelar esquerdo e lhe lanço um olhar inquiridor.

Não, isso não pode estar acontecendo!

Engravidei de um homem casado... Não posso acreditar. A dor vem forte em meu peito, tudo o que o meu ex me machucou virá em dobro agora, afinal esse não é um homem qualquer, é alguém com quem vou gerar um filho em comum.

Vou até ele e ergo a minha mão para acertar seu rosto, mas ele me segura pelo pulso, seus olhos fervilhando e estou exalando raiva por todos os meus poros. Como fui tola! O único homem com quem me envolvi após meu ex-namorado canalha se revelou tão sem caráter quanto.

— Menina, você está louca?
— Estou, por ter me deitado com um homem como você — cuspo as palavras, olhando-o com desdém, com nojo dele, e mais ainda de mim.
— Não me lembro de você estar deitada — diz e as palavras me chicoteiam, porque, sim, transei de pé, de costas para ele, como uma vadia sem valor; é isso que eu sou.
— Eu estou grávida de você, infelizmente, mas não quero que meu filho tenha nenhum contato com você, apenas coloque seu nome na certidão de nascimento para que ele saiba que teve um pai, mas não o quero em nossas vidas, Maurice — digo recolhendo o resto de dignidade que me resta, sentindo o fundo do poço cada vez mais perto.

Estou perdendo tudo, queria não sentir...

— Você acha que pode entrar aqui cuspindo ordens e...
Seguro-me na parede, uma dor de cabeça mais forte do que as que venho sentido me toma inteira. Eu sou uma fracassada, nada dá certo para mim, o ar me falta e sinto o peito doer. Quero não sentir, preciso não sentir, porque dói carregar o peso do mundo nas costas.
Estou grávida e completamente sozinha, eu quero não sentir nada, eu preciso não sentir nada.
Olho para Maurice e, de repente, tudo fica preto.

— Moça? — a voz do taxista é o último som que ouço antes de ser engolfada pela escuridão, confusa entre o passado e o presente.

CAPÍTULO 45

Maurice

A Certeza

— Rose, estou sem tempo... — Já atendo a empresária de Safira de má vontade. Não a odeio, mas também não tenho muito a favor.
— Maurice... — O desespero em sua voz me coloca em alerta. — A Safira está no hospital, estou dando entrada agora.
— O que houve com ela? Onde ela está?
— Eu não sei muito apenas que ela estava indo para te encontrar. Eu liguei para confirmar algo de trabalho e quem me atendeu foi um taxista, desesperado porque ela estava desorientada.
Levanto da cadeira pegando a chave do meu carro, e saindo para o corredor ignorando as perguntas da minha secretária.
— Me envia o endereço, estou chegando aí.
Desliguei pegando o elevador e contando cada segundo que demorou a chegar ao térreo, eu conseguia sentir nos ouvidos os meus batimentos cardíacos, corri até o meu carro e novamente liguei para a empresária, precisava saber da minha filha.
— Já estou com ela, as médicas da equipe estão vindo também.
— Bárbara?
— A princípio parece tudo bem. A enfermeira que trocou a roupa de Safira não encontrou nenhum tipo de sangramento.
— Graças a Deus!
— Maurice... E se a Safira do futuro tiver voltado, com seus dramas e problemas e...

— Então nós cuidaremos dela, Rose, é isso que fazemos — garanto e ela respira fundo.
— Obrigada, Maurice! Venha logo, *nós* precisamos de você.

Desligo acelerando o carro na máxima velocidade, consciente dos pares de multa que vou ser notificado em breve.

Mas a dúvida que Rose plantou em minha cabeça me assombra. E se Safira de fato se lembrar de tudo? Ainda assim, ela vai me querer?

Safira

E então, não mais que de repente, os meus olhos se abrem.

Fito o teto branco respirando profundamente, tomando consciência lentamente do tempo-espaço. Percebo que estou coberta por um lençol fino, desço o meu olhar batendo com a camisola que possui a logo de hospital, o mesmo que já estive em outras circunstâncias.

Como vim parar novamente aqui?

Tento relembrar o meu dia, o último momento de consciência foi dentro do táxi, dou duas piscadas aceleradas e faço uma rápida checagem olhando ao redor.

Há apenas paredes brancas com itens hospitalares, parece o mesmo quarto em que estive da última vez. Há uma pequena cama do meu lado esquerdo, em cima de uma mesinha tem um grande monitor aferindo a minha pressão arterial e batimentos cardíacos à direita.

Assustada, eu me sento no leito hospitalar desconfortável, sinto um frio insano causado pelo ar-condicionado acima da minha cabeça, toco a minha barriga e sinto o montinho elevado que ainda é a minha Bárbara, e aí eu respiro aliviada.

A porta se abre e sorrio vendo as quatro pessoas entrando neste instante. Parece um *déjà vu*, mas desta vez eu me lembro de cada um deles.

Minha obstetra, minha psicóloga e minha empresária, que como sempre usa peças coloridas e extravagantes, tal como uma blusa amarela sendo abraçada pelo sobretudo marrom. Reparo que usa meias altas, brancas, com sandálias amarelas de salto fino e tiras finas, deixando as meias em total destaque. Quase torço os lábios em desgosto.

Definitivamente ela nada entende de moda, eu tinha total razão e preciso alertá-la disso com urgência.

E o último a passar pela porta é o único homem aqui. Analiso suas costas enquanto ele fecha a porta, dando-nos privacidade, seus olhos parecem aflitos quando ele passa à frente de todas e senta ao meu lado na cama.

— Maurice, nós combinamos que daria espaço a ela — minha psicóloga adverte, e ele apenas resmunga, ignorando-a e olhando para mim.

Encontro uma ruga em sua testa demonstrando preocupação ou talvez curiosidade a meu respeito, ou então sejam os dois ao mesmo tempo.

— Como vim parar aqui?

— Você teve uma crise dentro do táxi. O motorista aflito pegou o seu celular no exato momento em que recebia uma ligação da Rose, então ela o orientou a trazer você para cá — a psicóloga esclarece.

— Safira, como se sente? — Maurice pergunta com suavidade.

Eu amo seu timbre grosso, eu amo tudo nele.

Ele passa suas mãos em meu rosto e o cheiro do seu perfume me leva a nocaute.

E o toque masculino faz eu me lembrar da dor que senti no dia em que recebi o aviso da morte do meu pai. Primeiro me enfiei no estado de descrença, então veio o seu velório e nem mesmo pude vê-lo, beijá-lo, despedir-me. Pela quantidade de tiros e estragos feitos em seu rosto o caixão precisou ser fechado, sinto que não houve de fato um adeus, ele apenas foi arrancado de mim.

E em seguida Franco me acolheu no meu momento de maior vulnerabilidade. Estava tão frágil com a partida de papai que entreguei o que jurei guardar somente para o meu marido a ele, que me machucou e me deixou com trauma de qualquer pessoa tocando em minha intimidade e ainda por cima era casado.

Uma sequência de acontecimentos que fragmentaram o meu psicológico e se não caí antes, devo agradecer a Rose, que me colocou obcecada pelo trabalho. Foi a minha válvula de escape para não cair tão fundo no pântano das minhas desgraças.

— Safira, tente se manter aqui conosco. — A voz da médica me faz piscar duas vezes, retomando a consciência.

Senti o toque de Maurice em minhas bochechas e me lembro do instante em que ele me tocou na boate. Esperava sentir dor quando cedi ao tesão de tê-lo me tocando no canto escuro, mas pelo contrário, encontrei amparo em seus toques aveludados em minha pele, a forma como se preocupou em me acariciar antes, as palavras sujas que me excitaram e fizeram com que a penetração fosse prazerosa como nunca senti antes. Relaxei o sentindo dentro de mim, gozei pela primeira vez na vida com outrem, senti-me desejada e amada, não uma vadia como a minha mente sabotadora me fez achar quando o confrontei em seu escritório.

Foi de pé, de costas, no canto escuro, sim, mas teve paixão, entrega e muito amparo também. Foi assim que Bárbara foi concebida.

— Safira?! — a médica chama novamente e percebo que mais uma vez me desliguei da nossa conversa.

Cravo as unhas em meu braço para que a dor me mantenha sem dispersar, porém, Maurice entrelaça sua mão à minha, que antes me machucava.

— Eu me lembro de tudo, doutora. Bem, é óbvio que todos esquecemos parte do que acontece em nossas vidas, mas os fatos mais importantes eu lembro. Estou totalmente consciente.

Assim que confesso, Rose e Maurice se entreolham e ele retira as suas mãos de mim, caminha para longe ficando no canto do quarto.

— Isso é excelente, Safira! Diga-nos, quantos anos tem?

— Vinte e cinco, comemorei meu último aniversário em Fernando de Noronha. Foi uma viagem incrível, gravei tudo em meu canal.

— Qual o nome da sua filha?

— Bárbara de Castro Tozzini — digo pela primeira vez fazendo com que agora ela pareça tão real. — E espero que ela tenha o sorriso do pai e o jeitinho único de fazer um biquinho quando está contrariado, como agora. — Pisco para ele que me observa de longe.

— Excelente, Safira! Quanto progresso.

— Doutora, me deixe a sós com Maurice, por favor!

— Safira, precisamos checar você e...

— Não, doutora — eu a interrompo —, nesse momento eu preciso falar com Maurice. Por favor!

Rose assente positivamente levando todas para fora da sala, restando que eu olhe para o homem sozinho no canto. Ele parece muito desconfiado e, como sempre, eu decido provocá-lo.

— Eu não mordo. Quer dizer, só quando você me faz gozar, aí seu ombro nunca sai ileso — instigo e ele dá um meio-sorriso.

— Eu estava certa em exigir o DNA, você é o pai legítimo da Bárbara — digo e ele permanece impassível. — Renan nunca me tocou, só tive um homem em minha vida que descobri mais tarde que era casado. Por isso surtei quando te revi no escritório, eu supus coisas quando vi a aliança em seu dedo.

— Para mim, não faz qualquer diferença. Com o meu sangue ou não, Bárbara seria minha de qualquer maneira.

— Eu sei, e isso me faz te amar ainda mais.

— Você ainda me ama? Mesmo se lembrando de tudo da sua vida? — inquire dando um passo em minha direção e fico incrédula com a sua insegurança.

— Se ainda te amo? Cada detalhe da nossa história juntos só me fez te amar ainda mais, Maurice.

— Safira, eu achei que agora, com a sua memória voltando, você quisesse repensar...

— E repensei, cheguei a uma conclusão muito séria. — Ele paralisa ainda distante e decido ser sincera. — Meu sonho é ter uma família, Maurice, eu tentei esquecer esse desejo me afundando numa vida vazia de sonhos que não me cabiam e o destino veio e me colocou no rumo de realizá-lo. Portanto, senhor Tozzini, eu quero montar essa família com você.

— Safira, você tem certeza?

— Certeza, Maurice.

CAPÍTULO 46

Safira

A Equipe

— Renan mentiu sobre a paternidade porque sabia que eu estava sem memória, provavelmente ele se viu saindo lesado porque a minha gravidez gerou a quebra do nosso acordo, e consequentemente eu me afastaria dele fazendo com que perdesse a visibilidade que queria. e então, ele se achou no direito de me confundir, mas agora eu sei, você é o único a me tocar em anos... — Agora o tenho novamente sentado ao meu lado.

— Calma, Safira, calma! Você vai ter tempo para me contar tudo, agora quero que se mantenha tranquila. Mais ainda bem que bati naquele desgraçado, se aproveitando de uma mulher em estado vulnerável para desestabilizá-la.

— Eu podia ter perdido você por causa dele, Maurice. Se você acreditasse e me virasse as costas, poderíamos ter nos perdido um do outro. — Seguro o seu rosto, ainda tremendo, só de pensar na possibilidade.

— Nunca! — Ele cola as nossas testas e fala baixinho: — O que nós construímos é sólido, Safira, eu amo você e tudo que vem junto. Assim como você fez, quando não retrucou a minha mãe quando ela foi desrespeitosa, respeitou a minha história com Liliana e se disse disposta a esperar quando eu me sentisse pronto. Isso é amor.

— Eu ia apresentar um programa durante um ano e perdi a vaga que vinha batalhando por conta da gestação. Eu me senti fracassada, arruinada com essa gravidez, eu verdadeiramente entrei em surto... Santo Cristo! Eu consigo sentir de volta a minha dor, batalhar por tanto tempo e perder o rumo assim dessa forma, mas agora, depois de tudo que vivemos, eu agradeço para o Deus que a sua mãe acredita por ter perdido aquela vaga, porque tudo que perdi me deu você e a Bárbara, a família que sempre sonhei. Vocês dois são a minha vitória.

— Amor, eu quase morri de preocupação com você, quando soube que estava aqui no hospital de novo, eu fiquei desesperado.

— Estou bem, Maurice, e mesmo quando eu cair no fundo do poço, sei que terei a sua mão para me puxar de volta.

— Sempre vou te puxar de voltar, meu amor.

Dois toques à porta me despertam que existem mais pessoas no mundo além de nós dois, principalmente quando Rose aparece colocando a cabeça dentro do quarto.

— Licença, vim ver como está antes de ir.

— Entra, nós duas precisamos ter uma conversa, Rose.

— Eu vou deixá-las a sós. — Maurice se apressa, mas seguro a sua mão, impedindo-o.

— Não, eu quero que ouça, preciso que saiba a importância de Rose na minha carreira. — Decido e ele senta novamente acatando o meu pedido.

Minha empresária entra no quarto e me encara de queixo erguido, essa é a Rose, uma fortaleza.

— Primeiro ponto, Rose, você precisa parar com a coisa de sandálias e meias, isso dói a minha vista, é feio demais — implico, fazendo-a rir. — Quando me conheceu, eu era uma menina cheia de sonhos e planos impossíveis, o mundo ia me engolir e cuspir fora depois, mas você reuniu as melhores empresas nacionais e as fez investirem em mim, me botou pra estudar marketing, melhorar a dicção, estudar sobre geopolítica, etiqueta, para que soubesse chegar a qualquer lugar e falar sobre assuntos relevantes

Reconheço que já havia sofrido os temíveis "cancelamentos" na internet por falas ignorantes e até mesmo falta de posicionamento político, ela me colocou para estudar, para saber me posicionar e entender a dimensão do meu poder de influência e como era importante saber usá-lo de forma consciente.

— Você é grande, Safira, um carisma que poucos têm. É dedicada, uma verdadeira joia a ser lapidada.

— Me perdi em algum momento — confesso lembrando as falhas com as pessoas à minha volta, perdi o controle sobre a minha vida em dado momento, já não sabia mais distinguir o que e quem era importante para mim.

— É natural, Safira. Você tinha tudo o que queria na hora em que queria, perde-se a noção do que é certo e do que é errado, os valores entram em divergência e chega um momento em que mais nada é suficiente. Muitas vezes a fama, o glamour, nos dá uma vida repleta de vazios.

— A ansiedade e o estresse me ganharam por muito tempo.

— Já vi muitos artistas se perderem por muito menos, isso infelizmente é algo rotineiro, mas você lutou, seja se enchendo de remédios, tentando encaixar a terapia na sua agenda maluca. Tentou lutar como sabia, como podia e fico feliz que ainda esteja de pé, batalhando.

— Estou e disposta a lutar ainda mais e quero você ao meu lado. Isso significa que você e eu, também Maurice, somos um time, unidos. Posso contar com isso?

Olho de um para o outro, ele ergue a sobrancelha e a encara, enquanto ela revira os olhos e estende a mão para ele.

— Isso significa você botando em prática as minhas ordens, Tozzini? — ela implica e ele vira a cara.

— Não me irrite, não me ligue, não apareça na minha casa sem avisar e estaremos bem.

— Respirar no mesmo ambiente que você eu posso?

— Ei! Os dois, olhem a birra — brinco. — Maurice, facilita, vai!

— Tudo bem, mas estou indo com Safira a todos os eventos, não confio de deixá-la só.

— Eu consigo encaixar, desde que use as roupas que eu te enviar e aceite a maquiagem...

— Tá — ele responde de má vontade.

— É assim que vai ser, então.

— Preciso que diminua meu ritmo de trabalho, Rose. Agora tenho minha família que também é uma prioridade.

— Deixa comigo.

CAPÍTULO 47

Safira

As formas do Amor

Não demorei a ter alta médica, Maurice não saiu do meu lado durante todo o trajeto para casa, até mesmo pediu que o segurança dirigisse para que eu fosse em seu colo no banco traseiro, não me deixou caminhar até entrarmos em casa, levou-me no colo, o que me fez gargalhar.

— Pronto! — disse ao me colocar deitada no sofá.
— Você é louco, Maurice.
— Por você? Sou mesmo. Ligue para a sua mãe, já a tranquilizei, mas ela deve estar ansiosa querendo ouvir sua voz.
— Maurice me passa o seu celular e senta ao meu lado, fazendo-me um cafuné.

Mamãe nos atende apenas ao quinto toque.
— Safira?! Eu quase tive um colapso quando vi nos sites de fofoca que você novamente deu entrada no hospital.
— Estou bem, mamãe, sã como há muito tempo não me sentia. — Assim que concluo, ouço uma voz masculina ao fundo e me causa estranheza. — Mamãe, quem está aí?
— Ah! É o Jason, ele tem caminhado comigo de manhã. Ele é tão divertido.
— Ah, é?! E o que mais?
— Nada, Safira! Apenas estamos nos tornando bons amigos, ele tem me acompanhado até a minha ida à psicóloga também. Às vezes nós conversamos aqui na praia, de frente de casa, até amanhecer, é incrível como um rapaz tão jovem pode ter vivido tantas histórias, apesar de que algumas eu acho que é papo de

pescador — ela diz com uma voz divertida e o ouço resmungar ao fundo.

— Passa o telefone pra ele, mãe.

Ouço os dois gargalharem sobre algo, ambos possuem brincadeiras internas e isso me preocupa.

— Como está a grávida mais linda? — Sua voz galante ressoa no celular. — Sua mãe me disse que você se acertou com o pai do seu bebê, cara esperto.

— Sim, estamos bem, parece que ele gosta de problemas em sua vida — brinco.

— Alguns problemas valem a pena, Safira.

— A minha mãe?

— É um problema que vale muito a pena.

— Jason... — repreendo. — Você está jogando a sua lábia para cima da minha mãe? — questiono divertida e ele sorri.

Ambos são adultos, mas ela está fora da realidade por tempo demais, apenas esta é a minha preocupação.

— Qualquer dia desses a convenço de ir passear de barco comigo. Você podia me dar uma forcinha.

— Posso pensar no seu caso, mas antes prometa que vai cuidar bem dela, Jason.

— Eu vou, pode ficar tranquila.

— Não a magoe.

— Eu me mataria antes.

Respiro fundo, não posso impedir de sentir ciúme, afinal de contas sempre imaginei meus pais juntos, mas ela merece ser feliz.

— Ela quer falar com você.

— Filha, avisei a Maurice que já são doze quilos jogados fora pra não voltarem nunca mais.

— Parabéns, mamãe! Sua voz está diferente, mais enérgica.

— É assim que me sinto, filha. Decidi fazer a cirurgia bariátrica, sinto-me com sede de viver, filha, quero voltar a trabalhar, brincar com a minha netinha...

— Dar uns beijinhos no Jason... — sugiro e ela pede licença a ele, ouço os seus passos apressados.

— De onde tirou isso? Ele é um menino.

— Ele é um homem e a senhora uma mulher, vocês estão se dando bem...

— Filha, ele nunca olharia para mim. O que ele te disse? — A voz da minha mãe soa aflita, ela também está interessada.

— Pergunte a ele, tchau! — Finalizo a ligação gargalhando, Maurice apenas meneia a cabeça. — Somente um leve empurrão.
— Leve empurrão? Você os atirou do penhasco.
Dou de ombros com a sua provocação.
— Quero que ela seja feliz, que recomece, que reencontre o amor-próprio e quem sabe um amor para dividir as dores.
— Acha que o Jason pode ser esse amor?
— Não sei, mas ela não perde nada por se permitir.
Lembro-me de que fiz questão de alugar a mansão contando com a minha mãe ir morar comigo, para nos unirmos e reconstruirmos a nossa relação após o luto, já que ela passou a se fechar cada vez mais. Porém, tive sua relutância em viver em um lugar novo, ela ainda não estava pronta para recomeçar, e então do dia para a noite decidiu ir morar na nossa casa de praia da família, o que fez com que eu ficasse completamente sozinha em uma casa gigantesca.
Hoje em dia, consigo ver que só a aluguei julgando que seria a casa dos sonhos da minha mãe, aquela que faria feliz novamente, que bens materiais poderiam suprir a sua dor da alma. Como fui tola.
— No que está pensando?
— Na minha casa. Eu ia insistir na ideia descabida de comprar aquela mansão, vou devolvê-la ao proprietário, mas também acho que aqui é pequeno demais para nós três — digo passando a mão em minha barriga.
— Estou paquerando a cobertura desse condomínio desde o dia em que você veio morar aqui, de forma intuitiva eu sabia que essa sua vinda era definitiva. — Sorrio com a sua confissão. — Lá é o dobro do tamanho desse apartamento e tem mais um quarto, que poderia facilmente virar seu *closet*.
— Então quer dizer que o senhor anda fazendo planos pelas minhas costas?
— Eu quero dar o melhor para as minhas meninas.
— Sabe que Bárbara precisará de um *closet* só dela, não sabe? — comento vendo-o confirmar de má vontade. — Conversei com a Rose sobre a exposição da nossa menina, ela acha ineficaz tentar vedá-la da mídia.
— Melhor você mostrar do que tentarem chegar perto dela à força.

— É isso que ela pensa também, mas sinto tanto por colocar vocês dois nesta posição.

— São os ônus do ofício, mas é a profissão que você ama, então como sua família, temos de nos adaptar e estabelecer os nossos limites.

E parece que eu nunca vou me acostumar às palavras "nossa família" saindo da boca de Maurice, incluindo-me. A felicidade parece algo raro demais para que eu mereça, ainda assim eu o tenho, ele é meu, minha família.

CAPÍTULO 48

Safira

Um Pedido

Se tiver algo que aprendi com o passar dos meses é que gravidez é algo que realmente mexe com os seres humanos. Creio que seja pela sensação de renovação que uma nova vida nos traz.

Desde que comecei a lidar bem com a minha gestação, a falar e mostrar mais nas minhas redes sociais, meus seguidores aumentaram exponencialmente, um público mais velho, de mães. Foi aí que decidimos fazer minha festa de comemoração pelos mais de vinte milhões de seguidores, nunca gostei de comemorar números, mas Rose insistiu e Maurice estranhamente apoiou.

E mesmo desanimada com a festa onde convidei vários outros influenciadores, amigos e familiares, ainda tenho o extra de dor na lombar, já que aos sete meses, Bárbara já está ficando sem espaço na barriga da mamãe.

— Uau! Você está linda. — Minha empresária sorri batendo palminhas.

De forma inédita ela permitiu que eu decidisse cada detalhe dessa festa, não opinou em nada, talvez por esse motivo não desisti de fazê-la.

— Esse vestido mais parece de noiva do que pra uma festa fútil — reclamo olhando para o vestido longo de mangas todo justinho em renda rosa bebê.

— E se fosse de noiva, você seria a mais linda do mundo, como merece.

Maurice nunca tocou no assunto "casamento" comigo, apesar da sua mãe sempre nos alertar de que estamos vivendo em pecado e de eu odiar esse seu julgamento. E não porque eu de fato acredite em pecado, mas porque no fundo tenho ciúmes de pensar que Liliana foi digna dele dar esse grande passo, casar, enquanto que comigo nem sequer levantou a possibilidade.
Mas eu deixo como está, afinal de contas vivemos bem, temos uma rotina de casados, moramos juntos, temos a nossa vidinha acordando às 5h30 da manhã, as corridas...
— Pronta? — Rose me desperta a atenção e, ainda desgostosa, assinto.
— Sim, você me deve uma massagem nas costas por me expor desnecessariamente pra toda essa gente aos sete meses de gestação! — Vou atrás dela reclamando.
Saímos da suíte do salão de festas onde passei o dia tendo um momento de relaxamento após uma semana de muito trabalho e, para a minha surpresa, já encontro o lugar cheio, pelo nosso planejamento eu iria recepcionar os convidados conforme chegassem, já bufo irritada pela quebra no protocolo.
Reparo na decoração toda em tons de rosa bebê, suave e elegante, como escolhi. Assim como as mesas transparentes compostas pelo bolo todo branco com um casal acima, aí caminho apressada porque não foi esse o topo de bolo escolhido, nele o homem está de joelhos e a boneca possui uma barriguinha de grávida.
Viro para Rose prestes a reclamar, mas logo tenho Maurice me encarando, tirando do bolso uma pequena caixinha. Abro os lábios, totalmente surpresa, afinal é algo completamente inesperado. Flashes quase nos cegam, toda a imprensa e influenciadores registrando o momento, ainda me surpreendendo ele pega o microfone e para que todos ouçam fala:
— Safira, eu sei que nada entre nós foi convencional, pulamos todas as fases possíveis em um relacionamento.
— Nós nos tornamos pais sendo desconhecidos, moramos juntos sem ter a menor consciência do que estávamos fazendo, mas deu certo, meu amor. — Confirmo deixando cair uma lágrima. — Mas agora, eu quero fazer as coisas do jeito tradicional, do jeito que você sempre sonhou e merece.
Ele se agacha abrindo a caixinha expondo o solitário de diamante.

— Aceita se casar comigo?

Todos ao redor explodem em aplausos quando digo o mais sonoro e alto "sim" da minha vida.

Maurice se levanta e coloca o anel em meu dedo anelar da mão direita e me abraça sussurrando no meu ouvido:

— Vamos nos casar assim que nossa filha nascer, imagino que não vai querer isso com barriga de grávida.

Confirmo, realmente não foi assim que sonhei.

— Te amo, Maurice!

— Te amo, Safira!

E então descubro que, na verdade, a festa se trata do meu noivado surpresa, que Maurice queria que fosse algo grande e gravado para o caso de eu querer colocar em minhas redes sociais. Porque, apesar de odiar a exposição, ele se colocava a prova por mim e esse é mais um item que me faz amá-lo ainda mais.

Meses depois...

COMUNICADO

Queridos seguidores,

Venho a público anunciar o nascimento de Bárbara de Castro Tozzini com 39 semanas de gestação de uma cesariana agendada. A nossa menina de olhos azuis, que é a cópia autenticada do papai, com três quilos e 51 centímetros é o pacotinho de amor mais lindo das nossas vidas e seguimos juntos recebendo a ajuda das vovós nesses primeiros momentos.

Agradecemos o carinho de todos.

Com amor,

Safira de Castro

Um ano depois...

— Isso é uma loucura, Maurice — aviso assim que colocamos os pés dentro da boate.

Sim, a mesma em que nos conhecemos.

— E desde quando você recusa loucuras? — ele provoca, fazendo-me sorrir.

Desde que nossa filha nasceu, como imaginávamos a vida ficou ainda mais corrida ao passo que nunca mais saímos a dois e hoje prometi que deixaria que Maurice me levasse a um encontro. Mas, definitivamente eu fui tola de esperar por um jantar à luz de velas em um restaurante tradicional, definitivamente não é assim que as coisas funcionam entre nós dois.

O ambiente caótico de música alta e luzes pulsantes soa meio alucinatório, Maurice passa a mão demarcando o tecido do meu vestido preto até a altura das coxas e consigo sentir o cheiro da sua má intenção.

Sinto as pernas cederem um pouco, enquanto ele roça seu corpo no meu, fazendo-me sentir a ereção dura e perfurante mesmo que por cima da roupa, tornando a nossa dança quase que um atentado ao pudor.

— Diga que me quer — exige.

— Eu quero, muito! — grito, perfurando o volume alto da música, cedendo à minha falta de juízo.

— Faça-me um pedido então — ele atiça juntando meu cabelo ruivo em sua mão enquanto sua boca faz todo um caminho molhado pelo meu pescoço.

— Me leva pro cantinho escuro, Maurice. Acabe com a minha agonia.

— Safada! — Aperta a minha bunda discretamente e solto um gemido, sedenta para recebê-lo. Sedutor, diz: — Aqui não, nos coloca muito em risco, mas dentro do carro, você não me escapa.

E de fato não escapei, curtimos a noite dançando agarrados, bebemos e nos sentimos mais soltos, leves, mas no final da noite, quando Maurice entrou no carro parado no estacionamento, não lhe dei tempo para pensar.

Monto em seu colo e nos beijamos tomados de paixão, rebolo em sua ereção engolindo todos os gemidos que emite. O carro apesar de o vidro fumê nos deixar ver as pessoas do lado de fora saindo da boate, mas não nos importamos, não seremos vistos, mas queremos a sensação de ter pessoas ao redor e isso basta.

Sinto quando ele abre a calça expondo a ereção e não perco tempo colocando a calcinha para o lado enquanto ele ergue meu vestido.

Pincela seu pau em meu clitóris, fazendo-me ofegar, coloca só a pontinha em minha boceta e em seguida se retira, deixando-me afoita.

— Eu amo seu fogo, Safira.

— Então me faça queimar, senhor mandão — peço e novamente ele coloca só a cabecinha e a prendo dentro de mim com minha musculatura, vejo seu sorriso morrer nos lábios. — Meu. Você é meu.

Desço, levando-o fundo, fazendo-nos gemer. Sempre é ardido e delicioso, Maurice segura a minha cintura enquanto rebolo lentamente sentindo suas mãos tateando cada parte do meu corpo. Beijo a sua boca sabendo que o tenho por inteiro.

— Isso, Safira, cavalga, amor — instiga e não meço esforço, sentindo-me tomada pelo tesão insano que me acende sempre que sou tocada por ele. — Minha, você é toda minha.

— Maurice... — grito o seu nome quando o gozo me toma inteira.

Sinto quando ele pulsa dentro de mim ao mesmo tempo em que sua garganta profere um som quase não humano, deixando a cabeça pender para trás encostando ao banco do motorista, enquanto eu me permito cair em seu peito.

Ambos respirando ofegantes, exaustos e satisfeitos, só sinto meus olhos fechando lentamente, então perco meus sentidos.

E então chego à conclusão de que dá para ser o segredinho sujo de alguém e ainda assim, ser o amor da sua vida, seu maior pecado e também sua mais valiosa bênção.

CAPÍTULO 49

Safira

A Família

Assopra a vela, filha! — digo observando a linda menina de cabelo loiro e olhos azuis que bate palminhas com as pequenas mãos gordinhas.
Mal posso acreditar que a fiz, que já fui sua morada.
— Vovó, vovó! — Bárbara aponta para minha mãe à frente da mesa do bolo cor-de-rosa com várias princesas da Disney em sua decoração.
Hoje pesando 90kg, após a sua cirurgia, minha mãe ainda segue seu tratamento para a compulsão alimentar e depressão, mas Jason tem sido um grande apoio nessa luta que ela enfrenta e, juntos, os dois são muito felizes. Bárbara ama visitá-los em Ilha Grande, sempre que podemos fugimos para lá, inclusive a mãe de Maurice tem ido sempre conosco.
— Feliz aniversário, filha! Nós te amamos mais do que tudo no mundo — Maurice diz beijando as bochechas rosadas e ela abraça o pescoço do pai; esses dois são um grude que só. — E espero que não demore até que possamos te dar um irmãozinho de presente de aniversário.
Nossa filha bate palminhas, animada, no auge do seu primeiro ano de vida ela nem sequer sabe o que significa ter um irmão, mas tem pouco mais de um mês que Maurice insiste em ter mais um filho, o que eu não nego, mas agora prefiro focar na nossa menininha.
Abraço minhas amigas, Bela e Lorena. Estamos reconstruindo e fortalecendo a nossa amizade pouco a pouco,

isso me deixa extremamente feliz, ter amigos reais, verdadeiros.

— Safira, eu vim me despedir. Vou passar um tempo distante — Lorena diz, parecendo um tanto atordoada.

Ela anda meio avoada, desde que sua irmã faleceu.

— Ainda insiste na história de Micael?

— Sim, eu vou atrás do meu sobrinho. Aquele canalha não perde por esperar.

— Cuidado, Lorena — alerto, porque o empresário é poderoso, e extremamente protetor com o sobrinho que é seu único parente vivo.

— Sou tão madrinha quanto ele. Assim como ele perdeu o irmão eu perdi minha irmã, não é justo que ele fique com a guarda da criança e nos impeça de visitá-lo.

— Se precisar de algo, me avise, amiga.

— Pode deixar, Safira.

Assim como Bela e eu formamos a nossa família, tenho certeza de que Lorena logo formará a sua também. Tenho certeza de que seu momento chegará, só espero que não saia machucada nessa guerra pela guarda de seu sobrinho.

— Safira! Venha dançar comigo! — Rose me puxa para a pista de dança.

Decidimos contratar uma banda para animar os adultos enquanto as crianças correm soltas pelo salão de festas ao ar livre, enquanto a letra de Fugitivos, da Luiza sonza, lembra-me da noite mais louca da minha vida, a noite que fiz a minha menininha.

Eu quero me arrepender
Não preciso me reconhecer
Eu quero esquecer meu nome
Virando o olho, só você pode

Vistorio ao redor e encontro meu noivo e futuro marido daqui há poucos dias, já que decidimos fazer uma cerimônia religiosa para selar o nosso casamento. Será algo pequeno e restrito, mas cercado de muito amor.

Seu olhar me devora por inteiro e agora o macacão lilás de mangas com corte curto revelando as coxas que visto parece esquentar demais o meu corpo.

A cada passo que dá em minha direção meu coração dá solavancos no peito, a respiração logo se acalma, porque ele é a minha paz.
— Você está tão linda — diz e jogo meus braços ao redor do seu pescoço, dançando com nossos corpos colados. — Não me provoque ou encontro um canto escuro nesse salão de festas e emplacamos mais um filho.
— Se eu não te provocar é porque não estou em meu juízo normal. — Sorrio, recebendo seu olhar predador sobre mim. — Tem alguém ficando com vontade, Maurice?! — instigo.
— Muita vontade, essa noite quero me manter como a noite passada, inteiro enfiado na sua bundinha linda.
— Você gosta de me maltratar, né?! — Levo a mão ao peito de forma teatral e ambos sorrimos. — Você se lembra dessa música, Maurice?
— E tem como esquecer? Certas coisas nunca saem da nossa memória — diz fazendo alusão ao fato de mesmo que eu tenha perdido a memória, ainda assim não me esqueci do nosso primeiro momento a dois.
— É, você tem razão, não tem como esquecer.
Não demora até que tenhamos a nossa menina vindo em nossa direção, porque agora nunca mais estaremos sós.
Agora é a nossa família, nosso amor e as nossas lembranças.

AGRADECIMENTOS

Caro leitor,

Obrigada por reservar um tempo para entrar neste mundo que eu criei. Obrigada por investir suas emoções e sua imaginação em Maurice, Safira e suas lutas. Obrigada por me permitir compartilhar seus triunfos e suas tragédias com você.

Escrever um romance é um processo solitário, mas não precisa ser uma conquista solitária. O apoio da família, amigos e colegas de profissão foi inestimável e sou eternamente grata.

A Ler Editorial e toda sua equipe que ajudou a lapidar este livro, ofereço meus sinceros agradecimentos. Sua dedicação e trabalho duro tornaram este sonho uma realidade.

E a você, caro leitor, ofereço meus agradecimentos mais sinceros. Você fez esta jornada valer a pena. Espero que este livro o tenha entretido, emocionado e talvez até mudado você de alguma forma. Que Maurice e Safira permaneçam com você, mesmo muito depois de ter virado a página final.

Gratidão,

Ly Albuquerque

www.lereditorial.com

@lereditorial